water

BIBLIOTHEE<BREDA
Wijkbibliotheek Haagse Beemden
Heksenakker 37
tel. 076 - 5417644

Door Trevor Day

Serieconsulent dr. Jon Woodcock

Gottmer · Haarlem

Hoofdredacteur Fran Jones
Hoofd vormgeving Smiljka Surla, Jacqui Swan
Redactie Samone Bos, Sue Malyan, Andrea Mills
Vormgeving Sheila Collins, Philip Letsu
Bureauredactie Linda Esposito
Bureau-vormgeving Diane Thistlethwaite
Uitgever Andrew Macintyre
Serie-uitgever Laura Buller
Design Sophia M. Tampakopoulos
Illustratieonderzoek Liz Moore
Beeldbibliotheek DK Claire Bowers
Productie Erica Rosen
DTP-design Andy Hillard
Omslagredacteur Mariza O'Keeffe
Omslagontwerp Jacqui Swan, Smiljka Surla
Illustraties Dave Cockburn

Kijk voor meer informatie over de kinder-
en jeugdboeken van de Gottmer Uitgevers Groep
op **www.gottmer.nl**

© 2007 Oorspronkelijke uitgever: Dorling Kindersley Limited,
Londen
Oorspronkelijke titel: *See for yourself, water*

Voor het Nederlandse taalgebied:
© 2007 Uitgeverij J.H. Gottmer / H.J.W. Becht BV, Postbus 317,
2000 AH Haarlem (e-mail: post@gottmer.nl)
Uitgeverij J.H. Gottmer / H.J.W. Becht is onderdeel van de
Gottmer Uitgevers Groep BV
Vertaling: Wybrand Scheffer
Zetwerk: Peter Verwey Grafische Produkties, Heemstede

ISBN 978 90 257 4306 2
NUR 210

Druk: 10 9 8 7 6 5 4 3 2 1
Jaar: 2012 2011 2010 2009 2008 2007

inhoud

Nattigheid (H$_2$O)

Water is het meest voorkomende en tegelijk het opmerkelijkste spul aan het aardoppervlak. Het is ook de enige materie die als vaste stof, vloeistof én als gas volop aanwezig is. De kleinste hoeveelheid water is een watermolecuul, die bestaat uit twee atomen waterstof (H$_2$) samengebonden met één atoom zuurstof (O). In één druppel water zitten meer dan een miljard keer een miljard watermoleculen.

Klevende atomen

De waterstofatomen in een watermolecuul zijn een klein beetje positief, en de zuurstofatoom is iets negatief geladen. Tegengestelden trekken elkaar aan, dus een waterstofmolecuul kleeft zichzelf vast.

Oppervlaktespanning

De samenklevende watermoleculen vormen op een wateroppervlak een soort 'huid'. Dat heet de oppervlaktespanning. De oppervlaktespanning van water is voldoende om insecten als deze schaatsenrijder te dragen.

Water als vaste stof

Als water bevriest, worden de moleculen trager en kruipen ze bij elkaar. Elke molecuul hecht zich aan vier andere, en met andere groepen vormen zij een vast patroon. IJs is hard omdat de watermoleculen in dat kristalpatroon vast komen te zitten.

Water als vloeistof

In vloeibaar water zijn de moleculen door elektrische spanning losjes verbonden, maar kunnen ze vrijelijk bewegen. Om die reden is vloeibaar water goed te schenken en neemt het de vorm aan van de houder waar het in wordt geschonken.

Water als gas

In stoom hebben watermoleculen teveel energie en bewegen ze zo snel dat de elektrische lading ze niet meer bijeenhoudt. Daardoor heeft stoom geen vorm en probeert het alleen maar alle beschikbare ruimte te vullen.

Water in de ruimte

Door de elektrische krachten tussen watermoleculen vormen zij samen een bol. In de ruimte is nauwelijks zwaartekracht, dus blijven de druppels zweven. Hier zie je een astronaut door een perfect ronde druppel. De druppel is net een lens.

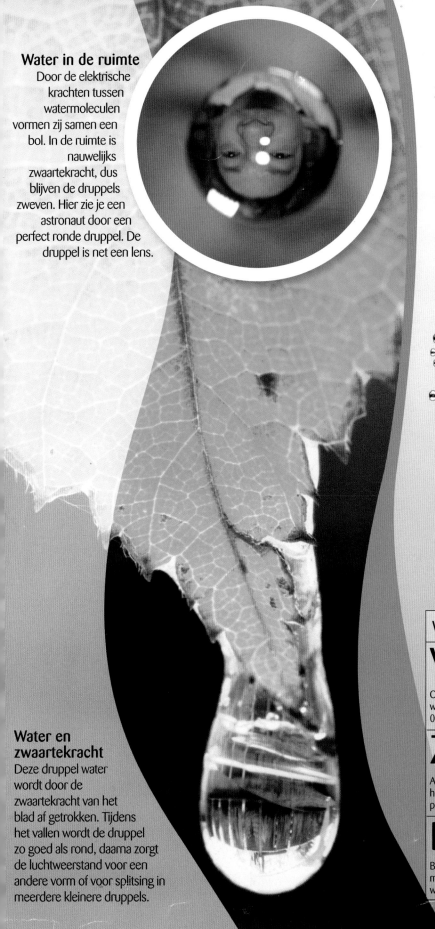

Water en zwaartekracht

Deze druppel water wordt door de zwaartekracht van het blad af getrokken. Tijdens het vallen wordt de druppel zo goed als rond, daarna zorgt de luchtweerstand voor een andere vorm of voor splitsing in meerdere kleinere druppels.

Allesoplosser

Suiker, zout en aspirine zijn slechts enkele van de vele dingen die in water oplossen. Maar in water lossen dan ook meer chemicaliën op dan in welke andere vloeistof ook. Dat komt doordat de elektrische lading in de watermoleculen atomen uit andere stoffen aantrekken. Daardoor vallen die stoffen uiteen en worden ze opgelost.

Waterfeiten

Vorst	Koken	Zet uit
Op zeeniveau bevriest zuiver water bij een temperatuur van 0 °C.	Op zeeniveau kookt zuiver water bij een temperatuur van 100 °C.	Water zet uit als het bevriest, andere vloeistoffen worden dan juist kleiner.
Zout	**Zoet**	**Onzuiver**
Als er zout in water zit, bevriest het pas bij lagere en kookt het pas bij hogere temperaturen.	Zuiver water ruikt niet, heeft geen kleur en ook geen smaak.	Water neemt makkelijk stoffen op, dus stromend pikt het allerlei chemicaliën op.
Brand	**Smelt**	**Hoogte**
Brand produceert water. De meeste stoffen die verbrand worden, geven stoom af.	Smeltend ijs neemt warmte-energie op. Daarom verkoelt ijs drankjes.	Op grote hoogte kookt zuiver water al bij 86 °C.

Water-wereld

De blauwe planeet

Op foto's uit de ruimte ziet de aarde er overwegend blauw uit. Dat komt door al het water. Het wit zijn de wolken, die weer uit water in de vorm van ijskristallen bestaan.

De aarde is een waterig geheel, want meer dan 70% van het aardoppervlak bestaat uit zeewater. Dat water bevindt zich vooral in de drie oceanen en twee ijszeeën. De rest van het oppervlaktewater bevindt zich vooral in bevroren vorm rond de Noord- en Zuidpool. Het water in meren, rivieren, wolken, de grond en levende organismen is maar een klein beetje, maar wel een belangrijk beetje.

De eerste oceanen

Onderzoekers denken dat de eerste oceanen bijna 4 miljard jaar geleden zijn ontstaan. Het water was waarschijnlijk afkomstig van stoom die bij uitbarstende vulkanen vrijkwam. Die stoom koelde af, werd in de atmosfeer water en viel als regen op de aarde. Op de laagst gelegen delen van de aarde vormde dat water daarna oceanen.

Lichtpenetratie

0

5 m

10 m

100 m

Diepte oceaan

Lichtabsorptie

Zonlicht bevat alle kleuren van de regenboog, maar water absorbeert de ene kleur beter dan de andere. Water absorbeert de kleuren aan de rode zijde van het spectrum beter dan die aan de blauwgroene kant, en de kleuren van de blauwgroene kant dringen daardoor beter tot het water door.

Waarom is de zee blauw?

Water is enigszins blauw, maar dat valt pas op als je grote hoeveelheden ziet en het water niet verkleurd wordt door zand of modder. Helder zeewater in fel zonlicht, zoals rond deze atol, ziet er helderblauw uit doordat de andere kleuren door het water zijn geabsorbeerd.

Licht onder water

Zelfs de prachtigste en kleurrijkste koraalriffen zien er onder water vaak grauw uit. Alles is een beetje blauwgroenig omdat het water het rood en het geel eruit filtert. Als je onder water een straal wit licht schijnt, worden al die kleuren als bij toverslag zichtbaar.

Wolken
Slechts 0,001% van het oppervlaktewater bevindt zich in de atmosfeer, zoals in de wolken.

Levende organismen
Slechts 0,00004% van al het water op aarde bevindt zich in levende organismen.

Rivieren, meren, grondwater
Zo'n 0,7% van al het water bevindt zich in rivieren, meren en in de grond.

IJskappen en gletsjers
Zo'n 2,1% van het water bevindt zich in ijskappen en gletsjers.

Oceanen
Maar liefst 97,2% van al het oppervlaktewater bevindt zich in de oceanen.

Water op aarde
Als alle land, water en ijs op aarde bijeen werden gevoegd, zou onze planeet er ongeveer zo uitzien. Meer dan twee derde van de aarde gaat schuil onder vloeibaar water. De helft van het ijs ligt op het land, de andere helft drijft in het water.

Zout of zoet

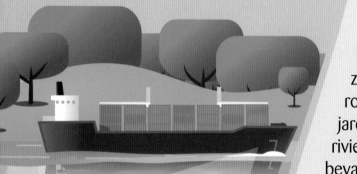

Iedereen die wel eens een slok zeewater binnen heeft gekregen, weet dat het zout is. Veruit het grootste deel van het water op aarde bevindt zich in oceanen. Het zout, zogenaamd natriumchloride, is afkomstig van de aarde en rotsen aan land. De rivieren hebben dat zout in miljoenen jaren geleidelijk de zee in gespoeld. In de meeste meren en rivieren, in ijs en in de atmosfeer bevindt zich zoet water. Dat bevat nauwelijks zout. Zeewater is niet goed om te drinken, maar zoet water dat geen schadelijke chemicaliën of bacteriën bevat kan geen kwaad.

TF   Tropisch zoet water

F   Zoet water

T   Tropisch gebied

S   Zomer

W   Winter

Blijven drijven

Hoe goed een voorwerp boven water blijft wordt uitgedrukt in het drijfvermogen. Water biedt een groter drijfvermogen als het zout of andere stoffen bevat. Het teken hierboven, een zogenaamd Plimsollmerk, geeft op vrachtschepen aan of ze veilig beladen zijn. Een voor 'tropisch gebied' (T) maximaal beladen schip zou in 'zoet water' (F) te diep komen te liggen en in 'tropisch zoet water' (TF) in nog grotere problemen belanden.

Zoet water

Dicht bij de bron is het water in een rivier meestal schoon en helder. Onderweg pikt het van het landschap steeds meer sediment en andere opgeloste materie op.

Estuarium

De plek waar een rivier in zee uitkomt heet de monding of een estuarium. Hier vermengen zout en zoet water zich. Het water in mondingen is brak, zouter dan zoet water maar minder zout dan zeewater.

Oceanen

De oceanen zijn zout omdat het water erin voortdurend verdampt en opstijgt, en dan zout achterlaat. Sommige meren die geen verbinding naar zee hebben zijn ook zout.

Het zout der aarde

Als al het water op aarde verdampte en al het zout aan land werd gebracht, zou er een 120 m dikke laag zout komen te liggen. Dat is zoveel zout dat zelfs gebouwen van dertig verdiepingen eronder schuil zouden gaan.

Zoutmeer

De Dode Zee is een meer tussen Israël en Jordanië. Het meer bevat het zoutste water ter wereld, met negen keer zoveel zout als de zee. Het menselijk lichaam blijft in de Dode Zee heel makkelijk drijven.

Waardevol zout

De warmte van de zon wordt vaak, zoals hier in Vietnam, gebruikt om zeewater in kunstmatige meren te laten verdampen. Het zout uit het zeewater blijft dan achter, en dat kan dan verkocht worden.

pH-schaal

Zuren en basen (zouten) zijn chemicaliën die sterke reacties kunnen veroorzaken. Sterke zuren en basen kunnen de huid 'verbranden'. De pH-schaal laat zien hoe sterk een zuur of base is. Zuiver water is neutraal en bevat zuren noch basen. Met een pH-waarde van 7 ligt het precies in het midden.

pH SCHAAL

Heel zuur

	pH
	0
Accuzuur, zwavelzuur	1
Citroensap, azijn	2
Sinaasappelsap, frisdrank met prik, wijn	3
Zure regen, tomaten, bier	4
Bananen, zwarte koffie	5
Regenwater, melk, urine	6

Neutraal

	pH
Zuiver water, bloed	7
Zeewater, eieren	8
Zeep	9
Magnesium, wasmiddelen	10
Ammoniak, schoonmaakmiddelen	11
Zuiveringszout	12

Heel zout

	pH
Bleekmiddel	13
Dikke bleek	14

9

Bevroren water

IJs ontstaat op de koudste plekken van onze planeet, met name rond de Noordpool, de Zuidpool en op hoge bergen. Aan een ijsblokje in je drinken is te zien dat ijs op water drijft. Als dat niet zo was zouden de poolzeeën vanaf de bodem helemaal bevriezen. Het ijs op het water is een soort deken die het water eronder langzaam afkoelt. Meer dan driekwart van al het zoete water op aarde is ijs. De helft bevindt zich op land, de helft drijft op zee.

Waarom ijs drijft

Als water tot dicht bij het vriespunt afkoelt, raken de moleculen bij het vormen van kristallen iets verder van elkaar verwijderd. Bevroren water bevat daardoor minder moleculen dan vloeibaar water en is daardoor iets lichter. Om die reden bevinden ijs en ijskoud water zich altijd boven warmer water.

IJsberg

Een ijsberg is een enorm stuk bevroren zoet water dat van een gletsjer of ijskap is losgeraakt en in zee drijft. Dat proces heet afkalven. Van de gemiddelde ijsberg steekt zo'n 20% van al het ijs boven water uit.

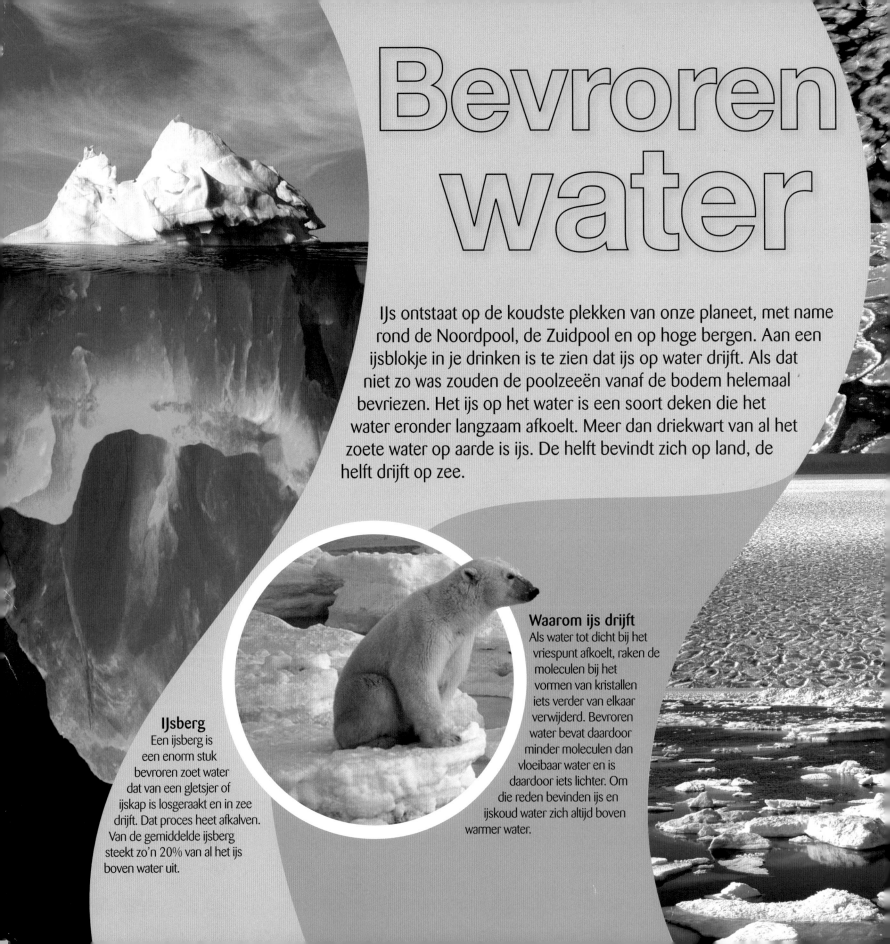

IJspap ('slush')

's Winters bevriest het zeewater rond de poolgebieden. Als zich zeeijs vormt, smelten ijskristallen aan het oppervlak samen. Door de wind en de golven zijn dat aanvankelijk nog kleine klompjes. Dat dunne ijs is net op het water drijvend vet, en doet een beetje aan slush denken.

Pannenkoekijs

Naarmate de ijspap dikker wordt en door de wind en de golven vorm krijgt, ontstaan 'ijspannenkoeken' met opstaande randen. IJskristallen houden nauwelijks zout vast, dus het zout in het water wordt door buisjes in het ijs naar buiten gewerkt. Daardoor is zeewater onder ijs extra zout.

IJsschotsen

IJspannenkoeken vriezen aan elkaar en vormen één grote ijsvlakte; die is na een jaar ongeveer 1 m dik. Elke winter ontstaan er vanuit de Noordelijke IJszee zuidwaarts en vanuit de Zuidelijke IJszee noordwaarts enorme ijsschotsen.

Drijfijs

Stukken zeeijs met een doorsnee van maximaal 10 km heten ijsschollen, als ze nog groter zijn spreekt men van drijfijs. Drijfijs valt 's zomers, als het warmer wordt, in stukken uiteen. Wind, golven en stromingen zorgen dat het drijfijs sneller uiteenvalt.

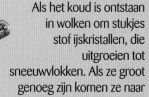

Sneeuwvlokken

Als het koud is ontstaan in wolken om stukjes stof ijskristallen, die uitgroeien tot sneeuwvlokken. Als ze groot genoeg zijn komen ze naar beneden. In elke sneeuwvlok zitten vijftig of meer kristallen, elk met een eigen uniek patroon.

Op glad ijs

Deze schaatser glijdt over een heel dun laagje water, van hooguit enkele moleculen dikte. Dat ontstaat tussen het ijs en de schaatsen. Zodra de schaatser weg is, wordt het water weer ijs. Wetenschappers weten nog altijd niet precies hoe dat laagje water ontstaat.

IJs als bewijs

Met een ijsboor kan een zuil ijs uit een gletsjer of ijsvlakte worden gehaald. In dat ijs bevinden zich lucht, stofdeeltjes en stuifmeel die daar al honderden of duizenden jaren zitten. Aan de lucht kan worden onderzocht hoeveel van welke gassen zich toen in de atmosfeer bevondt, stof en stuifmeel vertellen meer over het klimaat van vroeger.

Boom des levens

In het regenseizoen slaat deze Afrikaanse apenbroodboom vocht op voor in de droge tijd. Sponzige vezels in de boom zetten uit en kunnen tot 100.000 l water opslaan. In geval van langdurige droogte maakt de bevolking ook wel gebruik van die voorraad.

Massief hout

Het hout in een boomstam bestaat uit duizenden watervervoervaten. De wanden van die vaten zijn bekleed met harde houtstof of lignine, en daardoor is hout zo sterk. Elke 'ring' in een boomstam staat voor één jaar leven.

In bladeren wordt van zonlicht voedsel gemaakt (fotosynthese).

Water verdampt via de poriën onder aan de bladeren de lucht in.

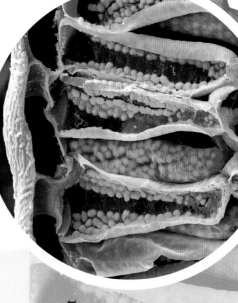

Huidmondje

Onder aan blaadjes zitten poriën, de zogenaamde stomata (enkelvoud: stoma). Die gaan open en dicht om het vochtverlies van het blad te regelen. De stoma hier staat open. Door de stoma kan kooldioxide, die de plant nodig heeft voor de fotosynthese, naar binnen. Tegelijk gaat er dan water door de porie naar buiten.

De bladfactor

In deze doorsnee van de bovenkant van een blad is een reeks sterk vergrote cellen te zien. In de platte cellen bovenin zit een soort was die het water tegenhoudt. Fotosynthese voltrekt zich in de chloroplast of bladgroenkorrel, de kleine groene bolletjes in de cellen.

Water en planten

Planten zijn een soort kleine fabrieken waar zich allerlei processen afspelen, en voor die processen is water nodig. Water vervoert stoffen door een plant zoals bloed stoffen door ons lichaam vervoert. Alle chemische reacties in planten, zoals van zonlicht voedsel maken (fotosynthese), spelen zich in water af. Dat water wordt door wortels uit de grond gehaald en vormt ten minste 80% van de plant. De steel en bladeren van een plant blijven stevig door de waterdruk binnen.

Transpiratie

Water verdampt van het oppervlak van de cel in de blaadjes, de lucht in. Dat waterverlies heet transpiratie. Dat proces helpt de plant door er water en voedingsstoffen doorheen te 'trekken.' Als het verdampte water niet wordt vervangen, gaat de plant al snel slap hangen.

Door kleine vaten in de steel wordt water naar de bladeren vervoerd.

De hoofdwortel vervoert water naar de steel.

Kleinere wortels nemen water en voedingsstoffen uit de aarde op.

Watertransport

In de steel van een plant zitten duizenden dunne buisjes, de vaten. Die zijn gevormd door cellen die aan elkaar vast zijn gegroeid en daarna stierven, waarna een holle buis overbleef. Door die dunne buisjes wordt met gebruikmaking van oppervlaktespanning water omhoog gezogen. Dat heet een capillaire reactie.

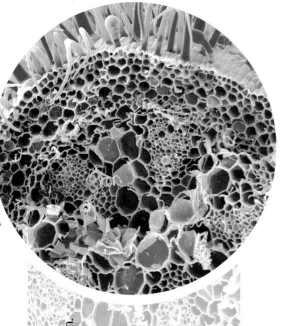

Wortelharen

Aan kleinere wortels, zoals die van deze zaailingen, zitten honderden piepkleine uitgroeisels, zogenaamde wortelharen. Zij zorgen dat er een heel groot oppervlak ontstaat om water mee op te nemen. Een wortelhaar is niet meer dan 0,1 mm dik, maar de enkele laag cellen erop kan heel snel water en voedingsstoffen uit de aarde opnemen.

Leven in water

Geleerden denken dat de eerste levensvormen zo'n 3,5 miljard jaar geleden aan de oevers van de oceanen zijn ontstaan. Tegenwoordig bruist het water van leven, van plankton tot walvis, en voor al dat leven bepaalt water hoe het zich voltrekt. Water is honderden keren zwaarder en dikker dan lucht en biedt organismen meer steun. Echter ook meer weerstand bij beweging, en dus hebben de grote dieren in zee gestroomlijnde vormen om zich zo goed mogelijk te kunnen voortbewegen.

Plantaardig plankton
Deze ringen vormen het kalkskelet van de coccolithofore, een vorm van plantaardig plankton (ook wel fytoplankton genoemd). Het heeft een doorsnede van ongeveer 0.008 mm. Omdat deze planktonvorm zo klein is zinkt hij maar langzaam en hoeft hij niet zo hard te zwemmen om dicht bij de oppervlakte van het water te blijven.

Dierlijk plankton
Dit is het skelet van een straaldiertje, een heel kleine dierlijke planktonsoort (zoöplankton). Het eet nog kleinere organismen, zoals de coccolithoforen. De stekels vergroten het oppervlak van de buitenkant en daarmee de wrijving met het water, waardoor het beter blijft drijven. Veel soorten straaldiertjes bevatten verder druppels olie of luchtbellen om ze drijvend te houden.

Algenbloei
In de zee leeft zoveel fytoplankton dat zij grote groene vlekken kunnen vormen, de zogenaamde algenbloei. Het turkooizen deel van de zee op de foto links is fytoplankton in de Noordzee, tussen Noorwegen en Denemarken. Dit leven heeft dezelfde functie als bos aan land: het neemt kooldioxide op en geeft door fotosynthese zuurstof af. Zo houdt zij de atmosfeer leefbaar.

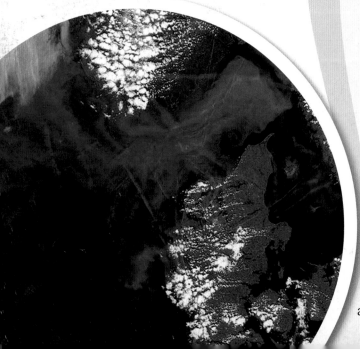

Beenvissen

Deze snelle tonijn is heel gestroomlijnd, zodat hij goed door het water kan glijden. Een tonijn ademt water in en haalt daar met zijn kieuwen (verstopt in de kieuwspleten, aan weerszijden van de kop) zuurstof uit. Een luchtzak in het lijf van de vis zorgt dat de tonijn niet naar de bodem zinkt. De tonijn vindt zijn prooi met behulp van gevoelige cellen aan de zijkant van zijn lijf, die trillingen registreren.

Kraakbeenvissen

Een haai heeft een groot drijfvermogen dankzij zijn skelet van licht kraakbeen (in plaats van echte botten) en de met olie gevulde lever. Haaien hebben een heel goede neus: ze kunnen één druppel bloed in een bassin ter grootte van een zwembad ruiken. Ze lokaliseren hun prooi doordat de met een gelei gevulde poriën in hun snuit de elektrische velden ervan registreren.

Zeezoogdier

Een walvis ziet er als een vis uit, maar het is een zoogdier. Hij heeft longen en moet regelmatig naar het wateroppervlak om adem te halen. Zelfs de grootste walvis heeft een dun skelet, want zijn lijf wordt door het water gedragen. Als een walvis aan land terechtkomt, verplettert het gewicht van zijn lichaam de organen in zijn lijf en zal hij waarschijnlijk doodgaan.

Onder water ademhalen

Deze axolotl is een salamander die in het Mexicaanse Xochimili-comeer leeft. Zoals zoveel in het water levende dieren neemt hij door zijn kieuwen (de roze uitsteeksels) zuurstof op. De kieuwen zitten buiten het lichaam omdat zij in het lijf zelf heel snel verzadigd zouden raken met stilstaand water.

Stille wateren

Poelen en meren zijn eigenlijk enorme plassen, waarbij een meer weer groter is dan een poel. Het water is meestal afkomstig van het omliggende land, of anders uit rivieren die van de omliggende hellingen stromen. Ze zijn uniek omdat het water erin stilstaat. Meren bestaan meestal honderdduizenden jaren. Dat lijkt lang, maar in vergelijking met oceanen en rivieren gaan meren niet zo lang mee. Op de bodem van een meer nestelt zich geleidelijk steeds meer sediment (bezinksel), tot dat het hele bassin vult en het meer opdroogt.

Bospoel

In het regenwoud ontstaan vaak ondiepe poelen in gebieden waar op en rond de bomen veel bromelia-achtigen groeien. In het water komt heel veel leven voor, van dierlijk en plantaardig plankton tot roofdieren ter grootte van kikkers.

Wetlands

Moerassen en andere gebieden waar de aarde door water verzadigd is, heten wetlands. Dat zijn belangrijke wateropslagplaatsen die rivieren van water voorzien. De planten en microben in de wetlands verwijderen de schadelijke stoffen uit het water.

Belangrijke meren

Baikalmeer	Bodenmeer	Bovenmeer	Titicacameer
Dit Russische meer is het diepste ter wereld en het bevat het meeste water.	Het in Duitsland, Zwitserland en Oostenrijk gelegen meer voorziet 4,5 miljoen mensen van water.	Dit is de grootste van de vijf grote meren in Noord-Amerika, en in oppervlak het grootste ter wereld.	Dit meer ligt 3812 m boven de zeespiegel en is het hoogstgelegen meer ter wereld.

Seizoenpoel

Bekkens die in het regenseizoen vol water staan, kunnen in andere jaargetijden droogvallen. En als er dan weer regen komt, komen allerlei slapende eitjes uit en veranderen jonge larven van vorm. Binnen de kortste keren is de poel weer een van leven bruisend meertje.

Rietlandschap

Als in een meer steeds meer sediment komt te liggen, gaat langs de oevers riet groeien en neemt de hoeveelheid open water af. Uiteindelijk maakt het riet plaats voor landplanten en wordt wat ooit een meer was een stuk land.

Grote meren

De grootste meren zijn net binnenzeeën. Het 25 miljoen jaar geleden ontstane Baikalmeer in Rusland is het oudste meer ter wereld. Het meer is, ongebruikelijk, niet dichtgeslibd omdat de stijging van de bodem door sediment tenietgedaan wordt door bewegingen van de aardkorst.

Victoriameer

In oppervlak is het Afrikaanse Victoriameer het op een na grootste meer ter wereld.

Rivieren

De meeste rivieren ontstaan als een klein beekje dat van een berg af stroomt. Ze worden gevoed door smeltend sneeuw en ijs, of door regenwater dat het laagste punt opzoekt. Het water baant zich door scheuren en kieren in de rotsen een weg naar beneden. Beekjes komen samen en worden steeds groter, tot zo'n stroom een rivier kan worden genoemd. Als de rivier lagergelegen gebied bereikt gaat hij meestal langzamer stromen, wordt hij breder en slingert hij zich een weg naar zee.

V-vormig dal

Hoog in de bergen is de rivier smal en stroomt hij snel. In het water bevinden zich steentjes en rotsen die de zijkant en bodem van de rivier tot een V-vormig bekken uitslijpen.

Smeltwater

Een door gesmolten ijs gevoede rivier heeft een per seizoen wisselende omvang. In het voorjaar klettert de rivier over de rotsige bedding, 's winters is het soms niet meer dan een klein stroompje.

Waterval

De snelstromende bovenloop van een rivier kan ook watervallen uitslijpen. Als de bedding plotseling van hard naar zacht gesteente overgaat, slijpt de rivier het zachtere gesteente uit. Daarna resteert een steile klif van hard gesteente, en daar ontstaat een waterval.

Stroomversnelling

Als een rivier over verschillende steensoorten tegelijk stroomt, wordt het zachtere gesteente weggesleept en blijft het hardere gesteente over. Het water stroomt om die rotspunten heen en vormt een stroomversnelling.

Belangrijke rivieren

Indus

Krijgt zijn water van de bergen in de Himalaya en komt uit in de Arabische Zee.

Swift

Deze uit smeltwater bestaande stroom in Alaska verandert per jaar van route.

Victoriawaterval

Deze 108 m hoge waterval in de Zambezi heet ook wel 'Mosi-oa-tunya', ofwel donderende rook.

Mekong

Deze grensrivier tussen Thailand en Laos kent enkele spectaculaire stroomversnellingen.

De Nijl (Afrika), 6700 km, wordt gevoed door de Blauwe Nijl en de Witte Nijl.

De Amazone (Zuid-Amerika), 6430 km, bevat het meeste water van alle rivieren ter wereld.

De Jangtsekiang (Azië), 5500 km, is met soms meer dan 150 m de diepste rivier ter wereld.

De Hoang ho (Azië), 5460 km, heet ook wel de Gele Rivier en is de modderigste ter wereld.

De Lena (Azië), 4400 km, de rivier waarvan de benedenloop 's winters maandenlang bevriest.

De Congo (Afrika), 4340 km, vervoert het op één na meeste water van alle rivieren.

Meander

Het middenstuk en de benedenloop volgen vaak een route met vele slingers, de zogenaamde meanders. Soms doorbreekt een rivier een smal stuk land tussen twee delen van de meander. Dan ontstaat er naast de rivier een zogenaamd hoefijzermeer.

Uiterwaard

Het land rondom de benedenloop van een rivier is vrijwel vlak, waardoor het water heel langzaam stroomt. Als de monding nadert is het rivierdal vaak een brede vlakte, met om de stroom heen de uiterwaarden, die bij een hoge waterstand onderlopen.

Delta

Bij de monding zet de rivier een deel van het zand en de klei die in het water zitten af. Daardoor ontstaat een breed platform, een zogenaamde delta, waarin de rivier allerlei vertakkingen kan hebben. Een delta vormt meestal zo'n beetje een waaier.

Volwassen rivier

In het middengedeelte komt de rivier op vlakker terrein. Hij wordt dan breder en gaat langzamer stromen. Het water is dan vaak modderig van al het sediment.

Theems

Deze Engelse rivier voert gezuiverd riool-water van meer dan 10 miljoen mensen af.

Amazone

In het middenstuk is de Amazone soms al meer dan 16 km breed.

Mara

Deze Oost-Afrikaanse rivier meandert door de savanne, een gebied met gras en bomen.

Mississippi

De delta van de Noord-Amerikaanse rivier heeft de vorm van een kraaienpoot.

Oceanen

De oceanen zijn onbegrijpelijk groot. Samen vormen zij meer dan 95% van het leefgebied op aarde. De diepste stukken oceaanbodem liggen meer dan 10 km onder het oppervlak en de koude, donkere hogedrukwereld in het diepst van de oceaan is een heel andere dan boven in het water. Vissen en andere zeedieren hebben allemaal hun jachttechnieken aangepast om op een bepaald niveau te overleven.

Koraalriffen

Deze harde structuren groeien in warm, helder, schoon en ondiep water. Ze zijn opgebouwd uit koraalpoliepen, heel kleine, aan zeeanemonen en kwallen gerelateerde beestjes. Ongeveer een derde van de dier- en plantensoorten in de oceaan leeft in en rondom koraalriffen.

Zonlichtzone

In het deel van de zee vlak onder het oppervlak is voldoende zonlicht voor de onderwaterplanten om tot fotosynthese (het omzetten van lichtenergie in voedsel) te komen. In dit deel van de zee leven de meeste van de dieren die wij uit het zoute water kennen.

Schemerzone

In het deel van de zee tussen de 200 en de 1000 m onder het oppervlak dringt maar weinig zonlicht door. Sommige dieren maken daar hun eigen licht (bioluminescentie) om een prooi te lokken, jagers af te schrikken of elkaar te herkennen. Veel van de dieren hier komen 's nachts omhoog om zich te voeden met plankton (zwervende organismen).

Zeeschildpad

De acht soorten zeeschildpadden zijn ademhalende reptielen. Op hun menu staan onder meer kwallen. Vrouwtjes leggen hun eitjes in nesten op zandstranden.

Kwal

Kwallen zijn ongewervelde dieren (zonder ruggengraat). Ze zwemmen meestal traag door het oppervlaktewater. Met hun prikkende tentakels vangen ze kleinere dieren.

Marlijn

De marlijn jaagt op andere vissen door met zijn bovenkaak zijn prooi uit te schakelen. Met snelheden tot 110 km per uur is hij de snelste vis ter wereld.

Addervis

Deze vis heeft een grote bek met lange, kromme snijtanden. De addervis wiegt een stekel op zijn rug om zijn prooi tot vlak bij zijn bek te lokken.

Potvis

Deze ademhalende walvis kan tot 18 m lang worden. Sommige volwassen exemplaren duiken tussen het adem- halen heel diep onder water, op zoek naar pijlinktvis.

Lantaarnvis

Met zijn grote ogen lokaliseert de lantaarnvis zijn prooi, het dierlijke plankton. Door de lichtgevende plekjes op zijn lijf kunnen zijn soortgenoten hem herkennen.

Een scubaduiker kan tot een diepte van 282 m onder water duiken.

Duisternis

Zonlicht dringt niet door tot de delen van de oceaan van meer dan 1000 m diepte. Het enige licht daar wordt door de organismen zelf gemaakt, of komt zo af en toe ook van vulkanische activiteit. Het water in deze zone is koud (0–4 °C) en de druk van het water erboven is honderd keer zo groot als vlak onder de oppervlakte.

Diepzeevlakten

Op de oceaanbodem valt een gestage 'regen' van deeltjes uit het water erboven. Die neerslag bestaat uit dode organismen, afscheiding van zeedieren en allerlei afval, van modder en zand tot door schepen gedumpte rommel. Een groot deel van al het afval op de wereld belandt uiteindelijk op de bodem van de oceaan.

Sabeltandvis

Deze vis ontdekt zijn prooi door tegen het licht in omhoog te kijken. Zijn buik kan zo ver opzwellen dat er een vangst in past die groter dan zijn eigen lijf is.

Diepzeeduivel

Op zijn kop heeft deze vis een lichtgevende lokaas. Het licht trekt nietsvermoedende prooi aan, waarna de zeeduivel niet eens meer op zijn slachtoffer hoeft te jagen.

Onderzeese geisers

Op de bodem van de oceaan spuiten ook bronnen warm water. Dit water is rijk aan chemicaliën die microben energie geven, en die microben zijn weer voedsel voor wormen en schelpdieren.

Schoorstenen

Op sommige vulkaanmondingen staan hoge schoorstenen. Die ontstaan uit de mineralen die vrijkomen als zeewater en warm ondergronds water samenkomen.

Reuzenpijlinktvis

Deze aan de octopus en de inktvis verwante ongewervelde kan 18 m lang worden en is de grootste ongewervelde ter wereld. In 2004 werd er voor het eerst een gefilmd.

Slokop-aal

Deze aal zwemt langzaam, in afwachting van zijn prooi. In de diepte is zijn voedsel schaars, maar zijn grote bek en flexibele maag zorgen dat hij bijna alles kan eten.

De **Nautile** is een duikboot die tot 6000 m diepte kan duiken.

De **Trieste**, een bathyscaaf, kan tot 11.500 m onder water duiken.

Tij en stroming

Aantrekkingskracht

Zoals elk groot, vast voorwerp in het heelal trekt de maan andere voorwerpen aan. Dat heet de aantrekkingskracht. In zijn baan om de aarde trekt de maan het water in de zee aan. Daardoor bestaat er een stuwing van water die met de maan mee om de zee heen reist.

Het water in de oceanen beweegt voortdurend. De aantrekkingskracht van de maan trekt het water over het aardoppervlak en veroorzaakt getijden. De wind zorgt ook voor beweging in het water, aan de oppervlakte in golven, onder water in stromingen. En omdat de aarde ook om zijn eigen as draait volgen die stromingen en golven grillige lijnen. Dat heet het corioliseffect.

Hoog water

In de Bay of Fundy, in Canada, wordt het water naar een smal stukje zee geleid waar zich de grootste getijdenverschillen ter wereld voordoen. Bij springtij kan het verschil in waterstand tussen vloed (op deze foto) en eb oplopen tot 17 m!

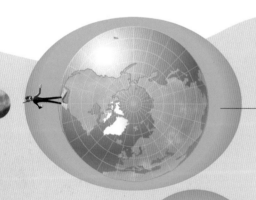

Bij vloed verloopt de stuwing van zeewater door de maan naar de kust toe.

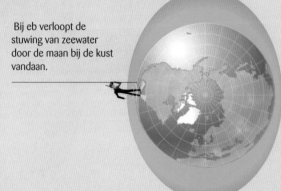

Bij eb verloopt de stuwing van zeewater door de maan bij de kust vandaan.

Getijdenstuwing

De aantrekkingskracht van de maan zorgt voor getijden. Het water het dichtst bij de maan wordt naar buiten getrokken, waardoor de waterstand hoger wordt. De zee aan de andere kant van de aarde ondervindt die aantrekkingskracht minder, en daar is het dan eb. De meeste gebieden langs de kust maken per etmaal ongeveer twee keer vloed en twee keer eb mee.

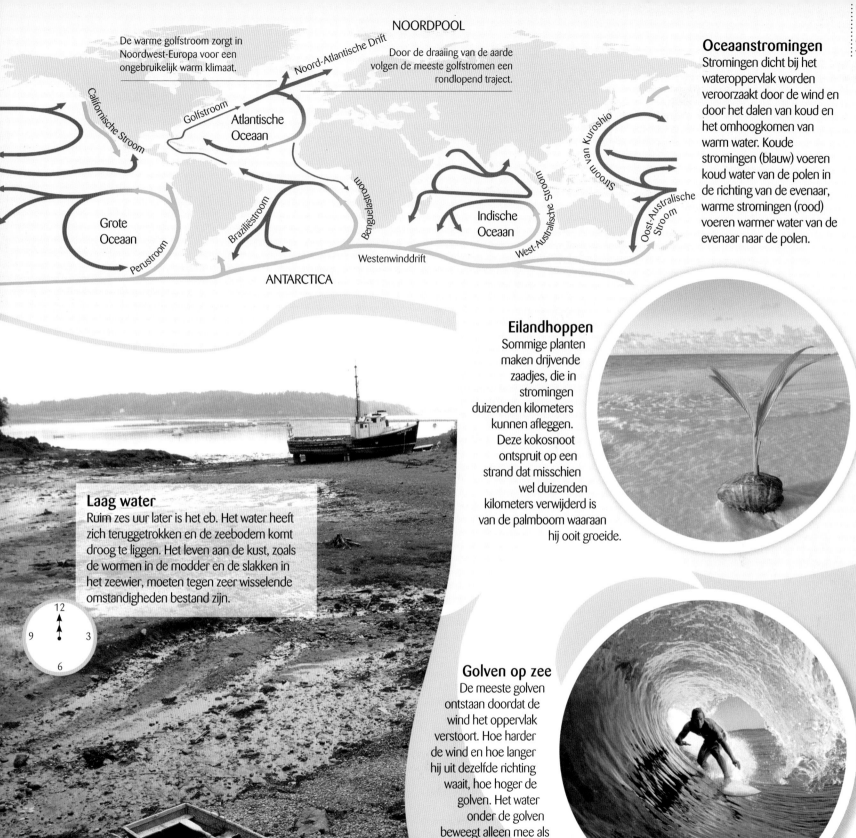

De warme golfstroom zorgt in Noordwest-Europa voor een ongebruikelijk warm klimaat.

Door de draaiing van de aarde volgen de meeste golfstromen een rondlopend traject.

NOORDPOOL

Noord-Atlantische Drift

Californische Stroom

Golfstroom

Atlantische Oceaan

Stroom van Kuroshio

Grote Oceaan

Braziliëstroom

Benguelastroom

Indische Oceaan

West-Australische Stroom

Oost-Australische Stroom

Perustroom

Westenwinddrift

ANTARCTICA

Oceaanstromingen

Stromingen dicht bij het wateroppervlak worden veroorzaakt door de wind en door het dalen van koud en het omhoogkomen van warm water. Koude stromingen (blauw) voeren koud water van de polen in de richting van de evenaar, warme stromingen (rood) voeren warmer water van de evenaar naar de polen.

Eilandhoppen

Sommige planten maken drijvende zaadjes, die in stromingen duizenden kilometers kunnen afleggen. Deze kokosnoot ontspruit op een strand dat misschien wel duizenden kilometers verwijderd is van de palmboom waaraan hij ooit groeide.

Laag water

Ruim zes uur later is het eb. Het water heeft zich teruggetrokken en de zeebodem komt droog te liggen. Het leven aan de kust, zoals de wormen in de modder en de slakken in het zeewier, moeten tegen zeer wisselende omstandigheden bestand zijn.

12
9   3
6

Golven op zee

De meeste golven ontstaan doordat de wind het oppervlak verstoort. Hoe harder de wind en hoe langer hij uit dezelfde richting waait, hoe hoger de golven. Het water onder de golven beweegt alleen mee als de golf in ondiep water op de kust breekt.

Het land vormen

Water is een van de sterkste krachten bij de bepaling van de vorm van het land. Hetzij in vloeibare vorm, hetzij als ijs slijpt het dalen uit, tekent het de kust en voert het gesteente door rivieren en over oceanen. Als water ergens de rotsen door er voortdurend op te beuken afbreekt, heet dat verwering. Als water gesteente afslijpt en het gruis verplaatst, spreekt men van erosie.

Uitgesleten

In de Amerikaanse staat Arizona zijn door sterke ondergrondse krachten lagen sediment uit oude zeeën op het land terechtgekomen. De afgelopen paar miljoen jaar heeft de rivier de Colorado de 1,6 km diepe Grand Canyon in dit plateau uitgesleten.

Kusterosie

De klap van een grote golf op een rotskust kan net zo sterk zijn als de kracht van de motor van de spaceshuttle. In de loop der jaren eroderen golven de grens van het land. Er ontstaan nieuwe openingen en er worden stukken rots weggeslagen, wat tot prachtige vormen kan leiden.

Kalksteenzuilen

Deze vreemde zuilen heten hoodoo's. Ze bestaan uit zacht kalksteen, de top uit harder gesteente en hun vorm danken ze aan vorst en regen. 's Winters kraken vorst en ijs het gesteente, en als het warmer wordt bijt lichtzuur regenwater het kalksteen en de bovenkant van de top langzaam weg.

Rivieren van sneeuw en ijs

De zwaartekracht trekt op grote hoogte gelegen sneeuw en ijs door valleien naar beneden. Zo'n bewegende 'rivier' van ijs heet een gletsjer. Het ijs schuift ook in gleuven tussen de rotsen, breekt daar stukken gesteente af en slijt de zij- en onderkant van het dal uit.

IJs en vorst

Regenwater en smeltende sneeuw sijpelen in de kieren van de rotsen. Als het dan gaat vriezen, zet het water uit en drukt het ijs het gesteente uiteen. Dat gebeurt soms met zoveel kracht dat rotsformaties in stukken opgebroken worden.

Biologische verwering

In planten zit veel water. Hun tijdens de groei steeds groter wordende wortels en takken kunnen hele rotsformaties ontzetten. Deze niet langer gebruikte tempel in Cambodja wordt door de bomen geleidelijk helemaal vernietigd.

Chemische verwering

Dit kalkstenen beeld van een vogel op een Franse kerk is door eeuwen regen flink verweerd. Het zuur in het regenwater heeft grote delen van het kalksteen opgelost. Door de uitstoot van zwaveldioxide door energiecentrales en andere vervuiling is de regen tegenwoordig zuurder dan vroeger.

Gletsjerfeiten	IJstijd	Snelheid	Dikte	Verdwijning
	Zo'n 18.000 jaar geleden, op het toppunt van de laatste ijstijd, was bijna een derde van al het land bedekt met sneeuw en ijs.	Een gemiddelde gletsjer kruipt nog langzamer dan een slak. Per jaar legt de ijsmassa niet meer dan 10 m af.	Het ijs in een gletsjer kan wel 3000 m dik zijn. In het ijs bestaan soms hele netwerken van riviertjes van smeltwater.	Ooit telde het Glacier National Park in de VS 150 gletsjers, maar daarvan bestaan er nu nog maar 27.

Lucht beweegt in grote cirkels, de circulatiecellen. Er zijn drie circulatiecellen per halfrond. Dit is de polaire cel.

Weer

Deze cel ligt boven gematigd gebied en vervoert warme lucht van Zuid-Europa naar het noorden.

Kreeftskeerkring

In de tropische cel stijgt warme lucht rond de evenaar op, om in subtropisch gebied weer te dalen.

De cellen verspreiden warmte over de aarde. Ze voeren koude lucht van de polen en warme lucht daar naartoe.

Evenaar

Warme vochtige lucht (rood) stijgt op en koelt dan af. Koude lucht (blauw) daalt af en warmt op.

Steenbokskeerkring

Luchtcirculatie op aarde
Bij verwarming spreiden de moleculen in de lucht zich uit en gaan ze meer plaats innemen. Warme lucht is daardoor lichter en stijgt dus op. In koude lucht zijn de moleculen meer samengepakt en nemen daardoor minder ruimte in. De koude lucht is dus zwaarder en daalt af. Het dalen van koude en stijgen van warme lucht heet convectie. Convectie zorgt overal op aarde voor luchtcirculatie.

In deze polaire cel daalt de koude lucht boven Antarctica. Die stroomt beneden in de richting van de evenaar, warmt daar wat op en stijgt dan weer.

Of het nu een warme zomerdag of de natte kou in de winter is, al het weer wordt veroorzaakt door de relatie tussen lucht, water en warmte. De steeds wisselende hoeveelheden van deze drie elementen zorgen voor alle weersystemen op aarde. Ons weer speelt zich af in het laagste deel van de atmosfeer, die tot ongeveer 12 km boven de grond loopt.

Weerpatronen
Het klimaat is het ritme van het weer in een bepaald gebied over een periode van vele jaren. Rond de evenaar is het altijd warm en vaak vochtig. Rond de polen is het koud en vaak droog. Tussen die twee in wisselt het weer, maar het klimaat bepaalt welke planten en dieren ergens leven. Op de Afrikaanse savanne (boven) is het erg warm en wisselt de neerslag per seizoen enorm.

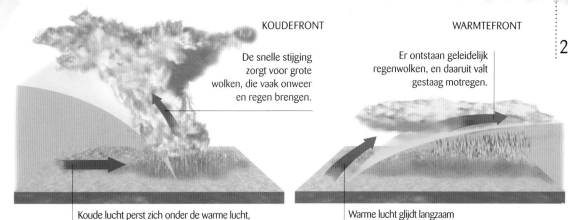

Fronten

Een luchtmassa is een grote hoeveelheid lucht in de lagere atmosfeer. Die massa kan warm of koud en nat of droog zijn. Luchtmassa's bepalen grotendeels het weer op de grond eronder. Als twee massa's botsen doet zich veranderlijk weer voor. Waar koude lucht onder warme lucht stroomt ontstaat een koudefront met extreem weer. Warme boven koude lucht leidt tot een warmtefront met gestage regen.

KOUDEFRONT De snelle stijging zorgt voor grote wolken, die vaak onweer en regen brengen.

Koude lucht perst zich onder de warme lucht, waardoor de warme lucht plotseling snel opstijgt.

WARMTEFRONT Er ontstaan geleidelijk regenwolken, en daaruit valt gestage motregen.

Warme lucht glijdt langzaam over de koude lucht heen.

Gestage neerslag

Regendruppels ontstaan waar waterdamp in opstijgende lucht van gas in vloeistof verandert (condensatie). De eerst piepkleine druppels gaan samen en vormen regendruppels. Lucht die opstijgt en regenwolken vormt kan zich voordoen waar water of vochtige bodem opwarmt, waar winden botsen, bij fronten of waar bewegende lucht door hooggelegen terrein omhoog wordt gedwongen. In een stortbui kan 2 tot 5 cm regen per uur vallen.

Hagel

IJsblokjes die als neerslag naar beneden komen heten hagelstenen. Ze ontstaan als ijskristallen in dikke wolken herhaaldelijk op en neer bewegen. Ze voegen zich daar samen met ander ijs, tot ze zo zwaar zijn dat ze naar beneden vallen. Er zijn wel hagelstenen ter grootte van tennisballen gesignaleerd.

Woest weer

Tornado's ontstaan boven warme, tropische zeeën waar het water in de zee heel snel verdampt. Hoger in de atmosfeer condenseert dat water, waarbij warmte vrijkomt. Dat zorgt voor instabiliteit, met windsnelheden van meer dan 120 km per uur en enorme hoeveelheden neerslag. In 2005 veroorzaakte de tornado Katrina in het zuiden van de VS 1300 doden. Miljoenen mensen raakten dakloos.

Nimbostratus

Wolken ontlenen hun namen aan hun vorm, hun hoogte in de atmosfeer en andere eigenschappen. In het Latijn betekent nimbus 'regen' en stratus 'dek'. Dit is dus een vlak, dicht wolkendek. Dit soort wolken is meestal donker en brengt langdurige zware regen.

Cumulus

Als de lucht bezaaid is met wat net enorme plukken watten zijn, hebben zich cumuluswolken gevormd. Cumulus betekent in het Latijn 'stapel', en dit soort wolken zie je vooral op zonnige dagen. Ze ontstaan door convectie, het proces waarbij het land de lucht verwarmt, die als 'thermiek' opstijgt, hogerop afkoelt en daar een wolk vormt.

Wolken

Een helemaal wolkeloze hemel is een uitzondering, want meestal drijft er ergens hoog boven ons wel wat bewolking. Wolken ontstaan door de condensatie van vocht in de lucht, waardoor druppels of ijskristallen worden gevormd. Als die kristallen of druppels samensmelten worden ze vroeg of laat zo zwaar dat ze naar beneden vallen, de druppels als regen, de kristallen als hagel.

Wolkenformatie

Een cumulus ontstaat als een bel heel warme en vochtige lucht. In die bel is het warmer dan in de omringende lucht, de bel is ook lichter, en die stijgt daardoor als een met helium gevulde ballon op. Die opstijgende lucht, een zogenaamde thermiek, gaat hoger in de lucht afkoelen en uitzetten. Als de temperatuur tot het dauwpunt gedaald is gaat de lucht condenseren, ontstaan druppels en daaruit een wolk.

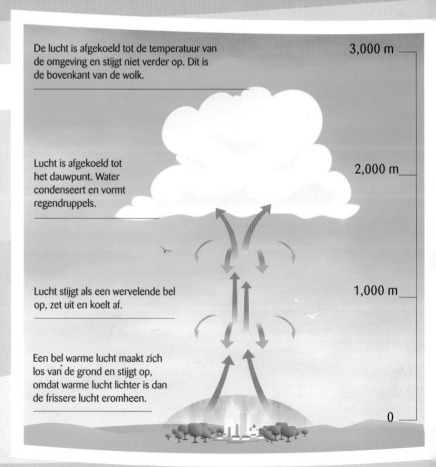

De lucht is afgekoeld tot de temperatuur van de omgeving en stijgt niet verder op. Dit is de bovenkant van de wolk.

3,000 m

Lucht is afgekoeld tot het dauwpunt. Water condenseert en vormt regendruppels.

2,000 m

Lucht stijgt als een wervelende bel op, zet uit en koelt af.

1,000 m

Een bel warme lucht maakt zich los van de grond en stijgt op, omdat warme lucht lichter is dan de frissere lucht eromheen.

0

Altostratus

Deze wolkensoort vormt een niet al te dikke grijze laag, en hij drijft hoger dan de cumulus maar minder hoog dan de cirrus. De altostratus beslaat vaak grote delen van de lucht. Deze wolkensoort bestaat uit een combinatie van water en ijs. Als de laag dun is, kan er een spookachtig zonnetje doorheen schijnen.

Cirrus

De naam cirrus is voor deze dunne sluierbewolking heel toepasselijk, want *cirrus* betekent in het Latijn 'haarlok'. De cirrus bestaat uit ijskristallen en drijft altijd heel hoog door de lucht. Als de sluiers zich in lange veren met haken eraan vertonen, spreekt men van een cirrus uncinus (*uncinus* is Latijn voor 'haak').

In de wolken

90%

van het water in de lucht komt uit de oceanen.

1801

Het jaar waarin de wolkensoorten werden beschreven.

Condensstreep

De 'wolk' die een vliegtuig achterlaat.

100

Het aantal bliksems per seconde op de wereld.

10

Het aantal wolkensoorten.

Cumulonimbus

Als zich in de lucht een volwassen cumulonimbuswolk aandient, is er onweer op komst. Deze grootste soort cumuluswolken kunnen wel 8 km hoog worden. In tropische streken veroorzaken grote cumulonimbuswolken soms wervelstormen en tornado's.

Dauwpunt

De temperatuur waarbij waterdamp in de lucht condenseert en druppels gaat vormen heet het dauwpunt. Als waterdamp al op de grond condenseert ontstaat er dauw.

Laaghangende bewolking

Mist en nevel zijn gewoon wolken die op de grond zijn ontstaan. Mist is dikker dan nevel omdat hij meer waterdruppels bevat. Als het zicht minder dan 1 km is spreekt men van mist. Als de zon opkomt, verdwijnt mist meestal snel.

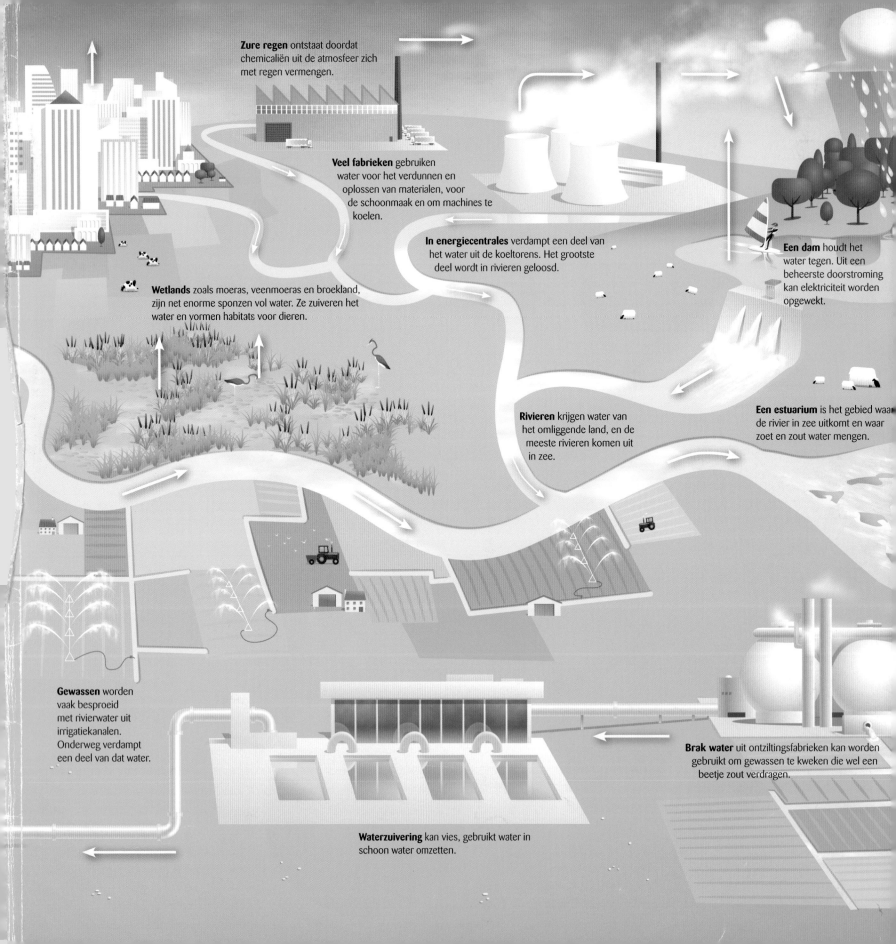

Zure regen ontstaat doordat chemicaliën uit de atmosfeer zich met regen vermengen.

Veel fabrieken gebruiken water voor het verdunnen en oplossen van materialen, voor de schoonmaak en om machines te koelen.

In energiecentrales verdampt een deel van het water uit de koeltorens. Het grootste deel wordt in rivieren geloosd.

Een dam houdt het water tegen. Uit een beheerste doorstroming kan elektriciteit worden opgewekt.

Wetlands zoals moeras, veenmoeras en broekland, zijn net enorme sponzen vol water. Ze zuiveren het water en vormen habitats voor dieren.

Rivieren krijgen water van het omliggende land, en de meeste rivieren komen uit in zee.

Een estuarium is het gebied waar de rivier in zee uitkomt en waar zoet en zout water mengen.

Gewassen worden vaak besproeid met rivierwater uit irrigatiekanalen. Onderweg verdampt een deel van dat water.

Waterzuivering kan vies, gebruikt water in schoon water omzetten.

Brak water uit ontziltingsfabrieken kan worden gebruikt om gewassen te kweken die wel een beetje zout verdragen.

...culeert tussen de zee, het land en de ...beweging verandert het regelmatig van ...stof, vloeistof en gas. De ...op wordt aangedreven door de warmte ...die voor verdamping van water op het ...e zee zorgt. Een deel van het water in ...enseert tot druppels of bevriest tot ...als neerslag weer naar beneden. Het ...n meren en rivieren en sijpelt in de ...delijk komt het bergaf in zee terecht.

...n het in
...omdat
...vorm
...in hun
...pslaan.

...n
...gen
...et
...tig van
...ndlagen.

Condensatie

is het proces waarbij gas vloeistof wordt, zoals de dauw op dit spinnenweb. Als lucht afkoelt, verandert de waterdamp in kleine druppels, die bij elkaar wolken vormen. In wolken versmelten ze tot grotere druppels, en als die zwaar genoeg zijn vallen ze als regen naar beneden.

Waterdamp

Verdamping

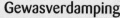

Verdamping

is dat moleculen uit een vloeistof vrijkomen en gas (stoom) vormen. Water in zeeën, meren, rivieren en op natte gebieden van het land, zoals dit dak, verdampt voortdurend. Daardoor wordt de lucht vochtig. Dat vocht maakt een hele rondreis alvorens als neerslag weer op aarde te belanden.

Afstroming

Oceaan

Gewasverdamping

is de verdamping van water van planten. Doordat planten water door hun wortels en bladeren leiden, verloopt de verdamping sneller dan wanneer water rechtstreeks uit de bodem verdampt. Een tropisch regenwoud produceert zoveel waterstof dat het er vaak erg mistig is.

Sneeuw ontstaat als ijskristallen in wolken tot sneeuwvlokken samenklonteren. Als ze zwaar genoeg zijn vallen ze.

Regen ontstaat waar bergen de wolken omhoog dwingen. De wolk koelt dan af waardoor meer condensatie optreedt en zich regendruppels vormen.

In woestijnen valt weinig neerslag, waardoor er vooral planten en dieren leven die water kunnen opslaan.

Kamelen houd de hitte lang vo ze energie in d van water en ve bulten kunnen

Bossen en andere vormen van begroeiing geven door transpiratie water af. De waterdamp ontsnapt via kleine poriën.

Een oase is een plek in de woestijn waar water aan de oppervlakte komt en waar begroeiing wel mogelijk is.

Waterputten word meestal op laaggel plekken geslagen. water erin is afkom waterhoudende gr

Regenwater sijpelt de grond in en komt tussen de aarde en de rotsen als grondwater bijeen.

Bronnen ontstaan op plaatsen waar water uit een ondergrondse beek of een waterhoudende grondlaag omhoog komt.

Grotten ontstaan vooral in kalksteen. Ondergrondse rivieren slijpen holtes en tunnels in het zachte gesteente uit.

Waterhoudende grondlagen zijn plekken waar water zich ophoopt omdat het niet dieper de grond in kan. Waterputten halen hier hun water vandaan.

Zonnewarmte stimuleert de waterkringloop door water te verdampen en het door convectie omhoog te leiden.

Vliegtuigen krijgen in de lucht soms bevroren water op hun vleugels. Dat slepen ze soms honderden kilometers mee.

Wolken kunnen ontstaan als waterstof tot druppels of ijskristallen condenseert.

Uit de zee verdampend water zorgt voor 80% van alle verdamping op aarde.

Smeltwater van hoge bergtoppen zorgt voor het meeste water in rivieren.

Tornado's ontstaan boven warme zeeën in de tropen. Een stevige tornado is een kringloop voor miljoenen liters water.

In de adem van een blauwe vinvis zit vele liters water. Alle ademende diersoorten geven via hun adem water af.

De oceanen bevatten 97% van het oppervlaktewater op aarde. Het weer wordt gestuurd door de warmte en het vocht van de wereldzeeën.

Een ontziltingsfabriek verwijdert zout uit zeewater, waarna het water geschikt is voor irrigatie of om te drinken.

De ijsberg waar de *Titanic* op botste was afkomstig van Groenland, waar hij duizenden jaren had gelegen. Bij de botsing kwam ook waterstof vrij.

Gletsjers en ijsschollen op het land en zeeijs en ijsbergen in zee bevatten het grootste deel van het zoete water op aarde.

Lichaamswater

Water is van levensbelang voor de mens. Ons lichaam bestaat voor meer dan de helft uit water, het is het belangrijkste bestanddeel in je 100 miljard cellen en zonder water zou je binnen enkele dagen sterven. Voor een goede gezondheid moet er altijd ongeveer evenveel water in je lijf zitten. Wie 10% van zijn gewicht aan water verliest, loopt al groot gevaar. Door te drinken en te eten vervang je het water dat je met plassen en zweten afscheidt. De hypothalamus, een deel van je hersenen, zorgt dat je dorst krijgt als je waterpeil te ver daalt.

60%

50%

Water en gewicht

Volwassen mannen bestaan voor zeker 60% uit water, volwassen vrouwen voor 50%. Bij jonge baby's is dat zelfs 70%, en zij gaan binnen enkele uren dood als het water dat zij kwijtraken niet door melk wordt vervangen.

Waterdichte huid

De huid met het weefsel eronder is het grootste orgaan in het lichaam. Dankzij twee bestanddelen, sebum (talg) en keratine, is je huid waterdicht. Het onder de huid in de talgklieren aangemaakte sebum is een natuurlijke olie die de buitenlaag van de huid, de epidermis, gesmeerd en waterafstotend houdt. Het taaie eiwit keratine functioneert als een blokkade en weerhoudt vocht ervan in de huid door te dringen.

Waterinhoud			
Bloed	Spier	Vet	Bot
83%	75%	25%	22%

In beweging

aarde bevindt zich een afgebakende hoeveelheid water. Dat water beweegt
rtdurend in kringloopjes. De ene kringloop duurt enkele uren, andere kunnen
zenden jaren duren. Het water gaat door buizen, rivieren, oceanen, bossen,
estijnen, rotsen, dieren, mensen, ons eten en de lucht die we inademen.
t zou best kunnen dat zich in de oceaan nog restjes badwater van Julius
asar bevinden. Deze illustratie laat zien
e water zich zoal voortbeweegt.

In steden stoten de airconditioning van
kantoorgebouwen en de uitlaten van de
auto's stoom uit.

In dorpen verdampt ook water vanaf
de tuinen en daken. Via schoorstenen
wordt daar ook nog stoom aan
toegevoegd.

Spoelwater van de wc
wordt via een buis en
de riolering naar een
reinigingsinstallatie
afgevoerd.

Rioolwaterzuiveringsinstallaties maken
het afvalwater van huizen en bedrijven
veilig om in rivieren te lozen.

De was droogt aan de
waslijn in de tuin het
beste op warme, droge,
winderige dagen.

Een warme douche
verbruikt per minuut
ongeveer 15 l water.
Dat water gaat via
een buis naar de
riolering.

De autowasserette
gebruikt zeker 120 l
water per auto. Het
gebruikte water wordt
via een buis naar de
riolering afgevoerd.

Water wordt opgeslagen in
ondergrondse reservoirs tot het
naar huizen en bedrijven wordt
verspreid.

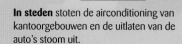

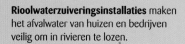

Waterkringlo

Op a
voo
duiz
wo
Het
Ce
ho

Condensat

Neerslag

Verdampin

Neerslag

bestaat in allerlei
vormen. Je hebt regen,
sneeuw, natte sneeuw,
hagel, rijp en dauw. Neerslag
is de verzamelnaam voor alle
manieren waarop water op aarde
terugkeert.

Percolatie

Percolatie

is de beweging van
het grondwater door
aarde en rotsgrond.
Eerst infiltreert de
neerslag de grond.
Deze neerslag kan
enkele uren, maar ook
eeuwenlang in
waterhoudende grondlagen
blijven zitten.

Grondwaterstroming

Bloedleger

Het bloed in je lijf bestaat uit witte en rode bloedlichaampjes, die worden vervoerd in zogenaamd plasma, dat weer voor 90% uit water bestaat. Het bloed verspreidt zuurstof, eten en afval, maar bestrijdt ook ziektes en herstelt kapotte stukken huid.

Maagsappen

Tijdens het eten wordt uit deze 'kuiltjes' in je maag een halve liter sap over je maaltijd geschonken. Het sap bevat enzymen die je voedsel afbreken. En diep in je darmen verteren andere spijsverteringssappen je eten nog verder. Bijna al het water uit deze sappen wordt in de dikke darm herwonnen.

Flexibele gewrichten

Dat je goed kunt bewegen komt door de gewrichten in je skelet en de spieren waarmee je die buigt. Botten zouden bij de gewrichten snel afslijten als het gewrichtsvocht synovia niet bestond. Een membraan scheidt dat af om de gewrichten te smeren. De holtes in de knie op deze röntgenfoto zitten vol synovia.

Je in het zweet werken

Water verlaat het lichaam op vier manieren. Aan urine scheid je per dag gemiddeld 1,5 l af, zo'n 0,4 l komt bij het ademen het lichaam uit en ongeveer 0,1 l water wordt afgescheiden via harde ontlasting, ofwel je poep. Ten slotte ontsnapt er een halve liter per dag via je huid als zweet. Door via de huid naar buiten te komen helpt zweet ook je lichaam af te koelen. Inspanning, stress en warmte zetten tot zweten aan.

Water-kracht

Water is zwaar, op aarde is veel water aanwezig en water kan met aanzienlijke kracht bewegen. Water kan werk verrichten en is daarom een prima energiebron. Mensen bouwen dammen om de kinetische energie (bewegingsvermogen) en de potentiële energie (zoals energie uit verandering van hoogte) van rivieren te 'vangen'. Stuwdammen zetten de energie van water om in elektriciteit, die weer wordt doorgegeven aan huizen, kantoren en fabrieken.

Waterkracht

De Grand Couleedam in de rivier de Colorado in de VS blokkeert een heel rivierdal, zodat het water in de rivier tijdelijk kan worden tegengehouden. Zoals in hydro-elektrische centrales gebruikelijk laat men het water door tunnels of buizen stromen. Het water drijft dan een soort propellers aan, de turbines, en die zetten de beweging om in elektriciteit.

Getijdenkracht

Het verschil tussen eb en vloed kan ook in elektriciteit worden omgezet. Het verschil tussen laag en hoog water moet dan wel minimaal 7,5 meter zijn. Een moderne getijdencentrale werkt ongeveer hetzelfde als een hydro-elektrische centrale, alleen gebruikt men in getijdencentrales soms de stroming naar twee kanten toe. De getijdencentrale in de monding van de Rance in het Noord-Franse Bretagne werkt op die manier. Hij levert elektriciteit aan meer dan 15.000 huishoudens.

Falkirk Wheel

Falkirk Wheel in Schotland kan met gebruik van maar heel weinig energie schepen 24 m op en neer tillen. Een schip dat een van de twee bakken van de sluis invaart, duwt daar een gelijke hoeveelheid water uit. Het totale gewicht van de bak blijft dus hetzelfde. De twee bakken vormen samen een soort balans met ertussen een aandrijfwiel, dus als de ene omhoog komt gaat de andere naar beneden. Eén volledige rotatie van het aandrijfwiel kost evenveel energie als het koken van acht keteltjes theewater.

Reuzenturbine

Hier wordt een van de 33 turbines in de Grand Couleedam geïnstalleerd. Eenmaal in gebruik stroomt het water langs de turbinebladen, waardoor een met een elektriciteitsgenerator verbonden stang gaat draaien. De enorme druk van het water in het stuwmeer achter de dam duwt het water met hoge snelheid tegen de turbinebladen aan.

Protest in India

Stuwdammen leveren op een schone manier goedkope energie, maar ze hebben ook grote nadelen. Achter een dam ontstaat een groot stuwmeer, vaak op een plaats waar voorheen mensen woonden (langs rivieren is het vaak dichtbevolkt). Bovendien kan het veranderen van de loop van een rivier tot verspreiding van ziektes door het water leiden. Deze mensen in India protesteren omdat het plan voor de aanleg van een stuwdam hen dwingt te verhuizen.

Spuitende geisers

Gesmolten gesteente uit het binnenste van de aarde komt soms tot dicht bij het aardoppervlak. Daar kan het ondergronds regenwater verhitten. Door openingen in de aardkorst ontsnapt dan met regelmatige tussenpozen stoom en warm water. Zo'n verschijnsel, zoals hier te zien in Yellowstone National Park in de VS, heet een geiser.

Uit de bron

Op sommige plaatsen kunnen mensen putten slaan naar ondergronds zoet water. Het water uit bronnen komt van waterhoudende grondlagen, lagen aarde en gesteente waarin zoet water verzameld wordt. In de meeste putten moet het water naar boven worden gepompt, maar in deze artesische put komt het water door de druk van onderen op natuurlijke wijze omhoog.

Grondwaterspiegel

De hoogte tot waar het ondergrondse water reikt noemt men de grondwaterspiegel. Onder dat niveau zit alle gesteente en aarde vol water en is de grond verzadigd. De grondwaterspiegel daalt en stijgt meestal met de seizoenen, met de hoogste stand in de vochtige en de laagste stand in de droge periodes. De waterstand in rivieren en meren komt meestal overeen met het niveau van de grondwaterspiegel.

Oppervlaktewater

Onverzadigde grond

Grondwaterspiegel

Verzadigde grond

Onder de grondwaterspiegel is alle ruimte opgevuld met water.

Onder de grond

Een kwart van het zoete water op aarde bevindt zich onder onze voeten. Regenwater dat niet in meren of rivieren belandt of verdampt, sijpelt door aarde en rotsen de grond in. Dat water daalt tot het op steensoorten stuit die helemaal geen water meer doorlaten. Op zo'n laag komt al dat grondwater bijeen en zijn alle kieren en gaatjes met water gevuld. Dit grondwater voedt de bronnen en putten op aarde.

Grotten

De meeste grotten zijn in kalksteen uitgesleten door ondergrondse rivieren. Die rivieren zijn gevuld met regenwater. Dat water bevat een beetje zuur, en dat lost het in kalksteen aanwezige calciumcarbonaat op. Als er eenmaal een grot is ontstaan, kan er van het plafond water druppelen waarin zich dat opgeloste calciumcarbonaat bevindt. Daar ontstaan dan geleidelijk een soort ijspegels van calciumcarbonaat, zogenaamde stalactieten. Waar ze op de grond druppelen vormen zich langzaam maar zeker opstaande zuilen, de stalagmieten.

Stedelijk water

In plaatsjes en steden overal ter wereld is voortdurend behoefte aan water. Dat is nodig voor zeer uiteenlopende zaken, zoals de autowasstraat, het doortrekken van de wc en het functioneren van machines in fabrieken. Het water in de huizen, kantoren en fabrieken moet van goede kwaliteit zijn, en als het gebruikt is moet het vieze water veilig worden afgevoerd. Een ondergronds netwerk van buizen voert het water aan en af naar en van de plaatsen waar het nodig is.

Waterzuivering

Afvalwater wordt ook wel rioolwater genoemd. Het omvat onder meer spoelwater van toiletten, afwaswater uit de keuken en badwater. Dat wordt via ondergrondse buizen afgevoerd naar reinigingsinstallaties, waar de vervuilende stoffen worden verwijderd. Het water wordt in bassins verzameld, waar de drijvende vaste stoffen eraf worden geschept en de zinkende vaste stoffen van de bodem worden gehaald. Dan wordt het water gefilterd en chemisch behandeld, en pas daarna keert het terug in de natuur.

Veilig drinkwater

Kraanwater komt uit een rivier, bron of put. Het wordt door het waterbedrijf behandeld voor het bij jou thuis komt. Het water bereikt de kraan via een stelsel van ondergrondse buizen, de waterleiding.

Slechte bacteriën

Ziektes zoals cholera, tyfus en polio kunnen via met schadelijke microben vervuild drinkwater worden verspreid. De microben op deze afbeelding (uitvergroot) leven in de maag van de mens, maar als dezelfde soort microbe van de koe in ons drinkwater komt, worden wij daar ziek van.

Door de afvoerput

Het water dat uit een gootsteen wegloopt stroomt via de hoofdafvoer het huis uit. Die afvoer is weer aangesloten op een bredere buis, de riolering. Het afvalwater wordt via een heel netwerk van leidingen afgevoerd, soms vanzelf door de zwaartekracht en soms met behulp van pompen. In de riolering belandt allerlei afvalwater, waaronder regenwater van de straat en water van kantoren en fabrieken.

Rioolrobot

Rioleringen liggen vaak diep onder de grond. Arbeiders kunnen er via verticale buizen in afdalen voor controle en reparaties. Intelligente robots, gewapend met licht en een videocamera, kunnen dat werk vereenvoudigen. Soms worden die robots met afstandsbediening bestuurd, maar bij bochten raakt het controlesnoer dan al snel in de knoop. De modernste rioolrobots, bijvoorbeeld dit Duitse apparaat, hebben alleen een digitale kaart van het buizenstelsel nodig om de leidingen te controleren.

Bluswater

Brandkranen zijn belangrijk voor de bereikbaarheid van bluswater. Het water uit de brandkranen komt meestal uit op hoge plaatsen aangelegde watertanks. Die tanks zijn via een patroon van buizen op de brandkranen in een stad aangesloten. Het water kan dan via verschillende routes bij elk van de brandkranen komen. Brandweermannen, zoals deze in New York, maken een brandslang aan de brandkraan vast en draaien dan met een speciale tang de kraan open. Het water stroomt dan onder hoge druk van de tank door de brandkraan naar de uitgang van de slang.

De woestijn irrigeren

Sommige gewassen kunnen best in de woestijn worden verbouwd, als het regenwater en de dauw er maar kunnen worden opgevangen. En anders kan het water ook elders worden gehaald. Door planten dicht bij elkaar te laten groeien, zoals hier in Chili, ontstaat rond de planten een gebied met vochtige lucht. Dat vermindert de verdamping.

Micro-irrigatie

Als gewassen worden besproeid bereikt een kwart van het water de wortels van de planten niet omdat het op de aarde meteen verdampt. Met micro-irrigatie wordt water rechtstreeks naar de planten geleid en lekt er uit de buis slechts wat die plant nodig heeft. Hier krijgt ui op die manier water.

Water buiten

Over de hele wereld verspreid wordt 60% van al het leidingwater op de boerderij gebruikt – om de gewassen water te geven en als drinken voor het vee. Door irrigatie kunnen de boeren efficiënter met het beschikbare leidingwater omgaan. De vraag naar water, van de steden en van de boeren bij elkaar, is echter bijna groter dan het aanbod en daarom moet zuinig met water worden omgesprongen.

Water voor het vee

Vee, zoals deze runderen, heeft veel water nodig om goed te kunnen groeien. Ze drinken elke dag water en het gras en de andere planten die zij eten hebben ook water nodig. Voor het maken van bijvoeding voor de dieren, zoals gersttabletten, is ook water nodig. En als het vee de schuur in gaat, moet die ook schoon zijn. Zo heeft één dier voor een gezond leven al tientallen liters water nodig.

Rijstterrassen

Boeren in Zuidoost-Azië benutten hun land zo goed mogelijk door in de flanken van de hellingen terrassen uit te houwen. Op die kleine platte stukjes grond komt regenwater terecht en dan kan er rijst worden verbouwd. Meer dan de helft van de wereldbevolking is voor de voeding afhankelijk van rijst.

Kassen

Planten in kassen kweken vermindert de waterverspilling en maakt de groei beter beheersbaar. Water dat uit de aarde of de planten verdampt blijft langer in de kas aanwezig, waardoor er altijd voldoende vocht is. Belangrijke gewassen, zoals tomaten, worden op die manier geteeld.

Helofytenfilter

Rioolwater van boerderijen zit vaak vol voedingsstoffen, maar bevat vaak ook afval en organismen van het vee. Dat water kan, als het in een rivier of zee wordt geloosd, schadelijk voor mens en dier zijn. Riet kan dit afvalwater op een natuurlijke manier zuiveren. Bacteriën in de aarde onder het riet verteren de verontreinigende bestanddelen. Zo'n moerassig stuk grond heet een helofytenfilter.

Water voor voedsel

Voor de productie van voedsel is veel water nodig, maar per gewas verschilt de benodigde hoeveelheid sterk. Om 1 kilo rijst te kweken is twee keer zoveel water nodig als voor 1 kilo sinaasappelen. En dieren hebben nog veel meer water nodig dan gewassen. Dat komt doordat de dieren planten eten die zelf voor hun groei ook al water hebben gebruikt, en het vee moet zelf natuurlijk ook nog drinken. Deze illustratie laat zien hoeveel water nodig is voor de groei van 1 kilo van verschillende producten.

sinaasappel nodig 1000 liter

tarwe nodig 1200 liter

rijst nodig 2000 liter

kip nodig 6000 liter

rund nodig 15.000 liter

Water en industrie

Bij de productie van bijna alles wat wij gebruiken of consumeren, van eten tot auto's en van kleding tot kleurpotloden, is water nodig. Water kan een rol spelen in chemische reacties, zoals bij het maken van waterstof of van plastic. Vaak wordt water ook gebruikt als middel om chemicaliën in te verdunnen of op te lossen. In de staal- en elektronica-industrie wordt water gebruikt om te koelen en schoon te maken. In sommige rijke landen gaat meer dan de helft van al het beschikbare water naar de industrie.

Koeltorens

In energiecentrales wordt met het verbranden van fossiele brandstoffen warmte opgewekt. Met die warmte wordt water gekookt, en dat levert stoom op. Die stoom drijft de turbines aan waarmee elektriciteit wordt opgewekt. In de koeltorens van een energiecentrale wordt het overtollige water weer afgekoeld, zodat het terug de rivier in kan.

Petrochemische fabriek

Diep onder het land en de bodem van de zee liggen aardolie en aardgas. Deze fossiele brandstoffen worden onder meer voor de petrochemische industrie uit de grond gehaald. Ze worden gebruikt bij de productie van organische (koolstofhoudende) chemicaliën, die nodig zijn voor het maken van plastics, verf, schoonmaakmiddelen en andere alledaagse materialen. Water speelt daarbij een belangrijke rol: voor het maken van 1 l benzine is 10 l water nodig.

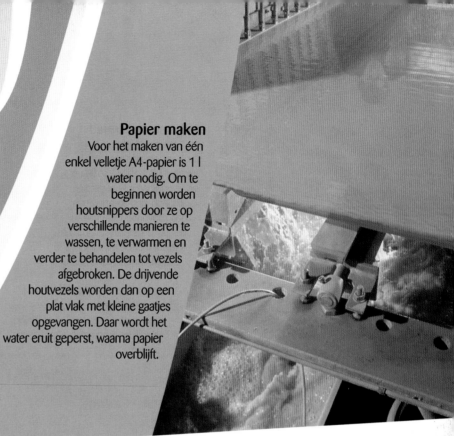

Papier maken

Voor het maken van één enkel velletje A4-papier is 1 l water nodig. Om te beginnen worden houtsnippers door ze op verschillende manieren te wassen, te verwarmen en verder te behandelen tot vezels afgebroken. De drijvende houtvezels worden dan op een plat vlak met kleine gaatjes opgevangen. Daar wordt het water eruit geperst, waarna papier overblijft.

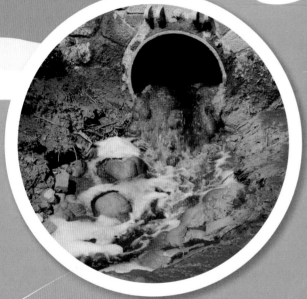

Zandstralen

Onder hoge druk gespoten water kan ook voor zijn snijkracht worden gebruikt. Als door dat water fijn zand of gruis van edelstenen wordt vermengd, kan zelfs hard gesteente worden doorgesneden. Hier worden met een speciale snijmachine blokken zandsteen uit een groeve gewonnen.

Afvalwater

Elke industrie produceert afvalwater waarin chemicaliën zitten die slecht zijn voor mens en natuur. Dat afvalwater wordt meestal bewerkt voor het weer veilig in de natuur kan worden geloosd. Hier wordt afvalwater van een chemische fabriek op een strand geloosd.

Zijdeverven

Deze kleurrijke Indiase sari's zijn gemaakt van zijde. Zijde wordt met behulp van water eerst gewassen, ontrafeld en gesponnen, en daarna tot textiel geweven. Bij het verven en wassen van de zijde voordat er kleding van wordt gemaakt is opnieuw veel water nodig.

Onze rivieren en zeeën worden vervuild doordat de mens en de industrie grote hoeveelheden schadelijke stoffen in het milieu lozen. Bijna alles wat we verspillen, weggooien, verbranden of begraven belandt vroeg of laat in de zee. Zelfs dampen die in de lucht zweven belanden uiteindelijk op het water, en ook regen kan vervuiling uit de lucht en van het land naar zee spoelen.

Vies water

Te veel bouwstoffen

Deze rivier in Thailand bevat veel bouwstoffen als nitraten en fosfaten. Ze zijn van de omliggende velden in de rivier gespoeld. Verder lozen de mensen hun rioolwater rechtstreeks in deze rivier. Door de aanwezigheid van de bouwstoffen kan het fytoplankton hier snel groeien en wordt de rivier groen. Andere organismen kunnen in dit water echter niet leven, en de microben in het rioolwater zijn een bedreiging voor de volksgezondheid.

Mijnafval

Deze kopermijn loosde zijn vuile afvalwater in een rivier. In het afvalwater wemelt het van het steengruis (sediment) en resten koper en andere zware metalen. Het sediment smoort alle planten en kleine dieren in het water, terwijl de metalen de planten en dieren vergiftigen. In de meeste ontwikkelde landen zijn dit soort afvallozingen verboden.

Vervuild water

In november 2002 brak de olietanker *Prestige* voor de Spaanse kust doormidden. Meer dan de helft van de olie aan boord stroomde de Atlantische Oceaan in. De olie bevat giftige stoffen die in het plankton en andere zeedieren terecht kunnen komen, en daarna in de mensen en dieren die daar weer van leven. Na dit ongeluk werd de visserij in de wijde omgeving stilgelegd.

Bedreigde dolfijnen

Schadelijke stoffen in de Canadese St. Lawrence River vormen een bedreiging voor de populatie witte dolfijnen in dat water. Zware metalen en bestrijdingsmiddelen komen in de rivier terecht en worden opgegeten door de schaaldieren waar de witte dolfijnen van leven. In het lijf van de dolfijnen kunnen die kanker en andere dodelijke ziektes veroorzaken.

Schoonmaakwerk

Het is beter om vervuiling tegen te gaan dan om haar na afloop op te ruimen. Hier wordt een olievlek met drijvers in bedwang gehouden. Later wordt de olie door een schoonmaakschip opgezogen. In de meeste gevallen van vervuiling kan de in het milieu geloosde schadelijke stof niet meer worden teruggehaald.

Nat en

Teveel of te weinig water kan verschrikkelijke gevolgen hebben. Als rivieren buiten hun oevers treden of een tsunami een landschap treft kunnen gebouwen, gewassen, vee en mensen worden weggespoeld. Aan de andere kant kan een tekort aan water de dood van de gewassen en het vee betekenen. In arme landen sterven bij droogte ook veel mensen, omdat er dan te weinig te eten en te drinken is. Hoeveel mensen last hebben van teveel of te weinig water ligt aan het klimaat en de mogelijkheden om de overlast te bestrijden.

Moesson

In veel Aziatische landen voert de natte moesson 's zomers soms zo veel regen aan dat sommige steden helemaal blank komen te staan. Het risico op een overstroming is het grootst rond de mondingen van grote rivieren als de Ganges en de Jangtsekiang.

Tornado

Op sommige plaatsen zijn overstromingen zo zeldzaam dat men er niet op voorbereid is. Op 29 augustus 2005 trof de tornado Katrina de Amerikaanse stad New Orleans. De storm veroorzaakte tot 9 m hoge vloedgolven. Het water spoelde hele stukken weg van de dijken die de stad tegen het water moesten beschermen. Helikopters probeerden met zandzakken de gaten in de dijken te dichten.

droog

Op droge grond

Gebrek aan water doet zich op talloze plaatsen voor, bijvoorbeeld in Zuidoost-Australië, Zuid-Californië en Sudan in Afrika. Een piepkleine verandering van de luchtstromingen kan betekenen dat vochtige lucht het ene jaar wel en een volgend jaar net niet over een bepaald gebied trekt. Rijke landen lossen dat op door water uit andere delen van het land over te brengen, maar in arme landen kan gebrek aan water tot sterfte onder mens en dier leiden.

Oprukkende woestijn

De uitbreiding van de woestijn naar omliggend boerenland, zogenaamde woestijnvorming, is een groeiend probleem. Woestijnvorming wordt veroorzaakt door de verandering van het klimaat op aarde, maar ook door een gebrek aan vochtrijke vegetatie. Als vee het land te ver afgraast of boeren hun begroeiing verbranden versnelt dat de woestijnvorming. Hier planten landarbeiders in China geschikte gewassen om de aarde te binden.

NOORD-AMERIKA

AZIË

EUROPA

Grote Oceaan

Atlantische Oceaan

AFRIKA

Jaarlijkse neerslag

Minder dan 500 mm

500–2000 mm

Meer dan 2000 mm

Indische Oceaan

ZUID-AMERIKA

AUSTRALIË

Neerslag op aarde

Deze kaart laat zien hoezeer de neerslag per streek verschilt. In de buurt van de kust, waar vaak een vochtige wind waait, valt veel regen. Landinwaarts wordt het droger, bijvoorbeeld in Noord-Amerika en Noord-Azië. Dichter bij de evenaar veroorzaakt het opstijgen van warme, vochtige lucht voor meer neerslag. De woestijnen in Zuid-Amerika, Afrika en Australië zijn heel droog. Op sommige plaatsen valt minder dan 250 mm neerslag per jaar.

Een warme aarde

In de afgelopen eeuw is de gemiddelde temperatuur op aarde met 0,6 °C gestegen, terwijl de hoeveelheid kooldioxide in de atmosfeer met 25% is gestegen. Veel wetenschappers zien verband tussen die twee feiten. Kooldioxide is een broeikasgas, wat wil zeggen dat het infrarode straling absorbeert. De toename van de hoeveelheid kooldioxide komt doordat mensen in hun huizen, kantoren, voertuigen en de industrie steenkool, olie en gas verbranden. Als er meer van dat gas in de lucht is, wordt er meer warmte in de atmosfeer vastgehouden en wordt het op onze planeet dus warmer. Dat kan een oorzaak zijn van de opwarming van de aarde. Die opwarming verandert de verspreiding van het water over de aarde.

Smeltende polen

Een van de gevolgen van de opwarming van de aarde is dat het ijs rond de polen smelt. De hoeveelheid ijs rond de Noordpool lijkt al te zijn afgenomen. Zeeijs dat smelt heeft geen invloed op de hoogte van de zeespiegel, want het ligt al in zee, maar ijs op land dat smelt zorgt wel voor een stijging van de zeespiegel. Hier breekt een stuk ijs af van een gletsjer in Alaska.

Overstromend eiland

Het eilandje Male in de Maldiven in de Indische Oceaan ligt maar net 1 m boven de zeespiegel. Klimaatdeskundigen denken dat de opwarming van de aarde de komende eeuw voor een stijging van de zeespiegel van 0,5 m zal zorgen. Die stijging komt vooral doordat het zeewater iets warmer zal worden en daardoor iets uitzet. Laag liggende tropische eilanden, zoals de Maldiven, lopen het risico onder te lopen.

Verkeersvervuiling
Deze taxi's in New York blazen via hun uitlaat kooldioxide de atmosfeer in. In de VS is 33% van alle kooldioxide afkomstig uit auto's die op benzine en diesel rijden. Nog eens 40% komt van het verbranden van fossiele brandstoffen om elektriciteit op te wekken. Een van de manieren om de opwarming van de aarde tegen te gaan kan het vinden van alternatieve brandstoffen zijn, want daardoor zou de hoeveelheid kooldioxide in de atmosfeer kunnen worden teruggedreven.

Weeralarm
Door de opwarming van de aarde wordt het weer minder voorspelbaar. Extreem weer, zoals tornado's en de sneeuwwal van hiernaast in New York, zal in de toekomst vaker voorkomen dan vroeger.

Nieuwe leefgebieden
Als de opwarming van de aarde doorzet, zullen sommige plaatsen natter en warmer worden, en andere kouder en droger. Daardoor zullen ook veel dieren naar andere leefomgevingen op zoek gaan. Door sprinkhanenplagen worden nu eigenlijk alleen in Afrika de gewassen opgevreten, maar in de toekomst zal dat ook in Zuid-Europa en West-Azië gaan gebeuren.

Mislukte oogst
Deze maïs op een akker in de Amerikaanse staat Texas wordt door de zon helemaal verschroeid. De opwarming van de aarde zal voor grote droogte gaan zorgen op plaatsen waar het nu nog niet zo droog is. Boeren in die gebieden moeten andere gewassen gaan verbouwen of installaties aanleggen om hun huidige gewassen beter water te kunnen geven.

De toekomst

Om de toekomst met vertrouwen tegemoet te zien ontwikkelen technici en wetenschappers nieuwe manieren om ons water zo slim mogelijk te gebruiken. De wereld is echter niet goed in evenwicht: de rijke landen verspillen water, terwijl de arme landen er juist een tekort aan hebben. Overal ter wereld moeten mensen hun water meer gaan hergebruiken en bewaren dan nu het geval is, want anders loopt het milieu gevaar.

Toegenomen vraag

Hoe meer mensen er op aarde bijkomen, hoe meer mensen van dezelfde hoeveelheid natuurlijke hulpbronnen gebruik willen maken. Op veel plaatsen wordt het water, dat nodig is om te drinken, de akkers te besproeien en schoon te maken, langzamerhand schaars.

Vanuit de lucht

Satellieten kunnen de experts op de grond van nuttige informatie voorzien. In 2007 lanceert Europa de eerste satelliet die het zoutgehalte op aarde gaat meten. Deze foto van de ENISAT-satelliet toont het Aralmeer. Vroeger was dat een enorm meer, nu zijn er nog slechts enkele kleinere stukjes water over.

Het Edenproject

Dit complex in het Engelse Cornwall toont een reeks bolle broeikassen waar gewassen worden geteeld die normaal alleen in heel extreme omstandigheden groeien. Door onderzoek leren wetenschappers daar beter hoe de natuur water gebruikt en hergebruikt. Daaruit komen ideeën voort over hoe mensen in harmonie met de natuur zoveel mogelijk stoffen kunnen hergebruiken en dus zo min mogelijk weggooien.

Oceaantechnologie

Technici bedenken manieren om voorheen ongebruikt water nu wel te benutten. Hier wordt op de Middellandse Zee zoet water opgepompt uit een bron die 36 m onder de zeespiegel ligt. Dat water stroomt op natuurlijke wijze ondergronds van de Alpen naar zee. Langsvarende schepen kunnen er hun drinkwatervoorraad aanvullen.

Veiliger water

In maart 2005 startten de Verenigde Naties het Decennium voor Water voor Leven (2005-2015). Op het ogenblik heeft één op elke zes mensen ter wereld geen beschikking over veilig drinkwater. Een van de bedoelingen van de VN is om dat cijfer te verbeteren. Daarvoor moeten gemeenschappen hun eigen putten kunnen slaan en grondwater kunnen oppompen.

Viskwekerij

Meer dan 30% van de vis die de mens eet is in vijvers gekweekt. Dat percentage zal verder toenemen zo lang de mens de zee blijft overbevissen. Voor de kust wordt het, vooral door de recreatie, steeds drukker en dus wordt er naar manieren gezocht om de viskwekerijen verder van de kust vandaan aan te leggen.

Feiten en cijfers

Er komt per jaar op aarde ongeveer evenveel water in kometen en meteorieten bij als er jaarlijks de ruimte in ontsnapt.

De Drie Klovendam in China moet 300 miljoen mensen tegen overstromingen beschermen. Voor het stuwmeer moesten wel 2 miljoen mensen verhuizen.

In sommige geïndustrialiseerde landen wordt wel 30% van al het water in huis door het toilet gespoeld.

In de VS produceert het vee 130 keer zoveel vast en vloeibaar afval als de mens.

Groente en fruit bestaan bijna helemaal uit water, tomaten voor 95% en appels voor 85%.

Meer dan de helft van de bevolking van de VS is voor zijn water afhankelijk van grondwater.

Sommige Griekse eilanden worden van water voorzien door schepen, die zakken met 2 miljoen liter water meeslepen.

In Namibië, Nepal en Noorwegen komt meer dan 90% van de elektriciteit uit waterkracht.

Een kraan waar elke 10 seconden een druppel uit lekt verspilt 1000 l water per jaar.

Als de bliksem in een boom slaat kan het water in de boom gaan koken en de boom ontploffen.

De Wereld-gezondheidsorganisatie schat dat er per minuut drie mensen overlijden door onveilig water. De meesten daarvan zijn kinderen.

Canada beschikt over de langste kustlijn van alle landen ter wereld.

Meer dan 90% van de gletsjers wordt door de opwarming van de aarde kleiner.

Het Ogallala-grondwaterreservoir in de VS bevat tienduizenden jaren oud 'fossiel water'.

Op Europa, een van de manen van Jupiter, bevinden zich ondergronds wellicht enorme oceanen.

De afgelopen 200 jaar is ongeveer de helft van alle wetlands op aarde verloren gegaan, vooral om als landbouwgrond te dienen.

De meeste huizen ter wereld hebben geen kraan en krijgen hun water uit een gemeenschappelijke voorziening.

De hoeveelheid water op aarde is al miljoenen en misschien zelfs al miljarden jaren constant.

Als er op gecontroleerde wijze elektriciteit door water wordt geleid, wordt het water gesplitst in waterstof en zuurstof. Die gassen kunnen zo worden gewonnen.

Per dag verdampt er op aarde zoveel water als nodig is om 350 miljoen wedstrijdzwembaden mee te vullen.

Elke keer als je bij het tandenpoetsen de kraan open laat staan, verspil je 7,5 l water.

In Groot-Brittannië besteedt men gemiddeld 0,02% van het inkomen aan water. In Uganda is dat percentage ruim 3%, in Tanzania zelfs ruim 5%.

In ontwikkelings-landen wordt ruim twee derde van het afvalwater van de industrie onbewerkt in het milieu gedumpt.

Diepe greppels aan het oppervlak van Mars waren vroeger wellicht rivieren. Het water op Mars is nu bevroren.

Het dak van het luchthavengebouw in Frankfurt vangt per jaar ruim 15 miljoen l regenwater op. Dat wordt gebruikt voor de tuinen, toiletten en andere voorzieningen.

De Dode Zee staat niet in verbinding met open zee. Het meer ligt 415 m onder de zeespiegel en is het laagst gelegen water ter wereld.

Een eikenboom zweet ongeveer 1000 l water per dag uit, genoeg om drie ligbaden mee te vullen.

Zoveel mensen gebruiken het water in de Chinese Hoang ho dat er bijna niets van de zee bereikt.

Voor de productie van 1 l urine filteren de nieren van een mens ongeveer 170 l bloed.

Men heeft berekend dat als de aarde 8% dichter bij de zon was geweest er geen leven had kunnen ontstaan, want dan was al het water verdampt.

Als het water uit de Grote Meren over de hele VS werd verspreid, zou het land onder een laag van 3 m water verdwijnen.

Het natste etmaal ooit was op 16 maart 1970 op het eiland Réunion, toen daar 1,9 m regen viel.

In delen van China, India en de VS wordt grondwater sneller gebruikt dan dat er nieuw bijkomt. Daardoor daalt de stand van het grondwater heel snel.

Australië is het droogste bewoonde werelddeel. Er valt gemiddeld 455 mm regen per jaar.

Op 3 september 1970 viel er in de staat Kansas in de VS een hagelsteen van 0,77 kg.

Ongeveer 80% van alle ziektes in de derde wereld heeft te maken met water.

Het Aralmeer in Kazachstan is sinds 1957 met twee derde gekrompen. Het water is gebruikt voor irrigatie.

Tijdbalk

De beheersing van het water heeft de mens altijd gefascineerd, van de eerste boeren die water van rivieren naar hun akkers leidden tot de bouwers van de grote stuwdammen van tegenwoordig. Deze tijdbalk geeft de belangrijkste gebeurtenissen rondom water van de afgelopen 4 miljard jaar weer.

ca. 4 miljard jaar geleden
De eerste oceanen vormen zich, wellicht door het afkoelen van gassen uit vulkanen.

ca. 9000 jaar v.Chr.
Boeren in Mesopotamië (het huidige Irak) bevloeien hun akkers met de eerste vormen van irrigatie.

ca. 180 miljoen jaar geleden
Al het land op aarde bestaat uit één continent, Pangaea, omringd door één oceaan, Panthalassa.

ca. 4000 v.Chr.
De Egyptenaren bouwen van geweven papyrus zeewaardige schepen.

ca. 600 v.Chr.
De Romeinen gebruiken in hun steden in Europa ondergrondse rioleringssystemen.

3de eeuw v.Chr.
De Griek Archimedes bedenkt in bad dat een lichaam zijn eigen volume in water verplaatst.

ca. 550 v.Chr.
De Babylonische koning Nebukadnezar II laat tussen de Tigris en de Eufraat een grote dam bouwen, waardoor het eerste stuwmeer ontstond.

ca. 980 n.Chr.
De Chinees Jiao Weiyo legt een sluis aan waardoor een boot hoogteverschillen in een kanaal kan overbruggen.

2de eeuw v.Chr.
Het Romeinse Rijk gebruikt overal aquaducten om water bovengronds over dalen heen te transporteren.

1ste eeuw v.Chr.
De Griekse uitvinder en wiskundige Hero van Alexandrië bouwt een eenvoudige stoommachine.

1687
De Engelsman Isaac Newton verklaart dat de aantrekkingskracht van de maan de getijden op aarde veroorzaakt.

1742
De Zweed Anders Celsius ontwikkelt een temperatuurschaal op basis van de vries- en kookpunten van water.

1712
De Engelsen Thomas Newcomen en Thomas Savery bouwen de eerste bruikbare stoommachine, met zuigers en cilinders.

1674
De Engelsman Robert Boyle stelt vast dat de watertemperatuur en -druk in de oceaan afhankelijk van de diepte waarop wordt gemeten verschillen.

1796
De Fransman Joseph Montgolfier bedenkt een pomp op waterkracht: de kracht van een waterval stuwt water omhoog.

1778
De Engelsman Joseph Bramah krijgt patent op een van de eerste doorspoelbare toiletten.

1783
De Fransen Antoine Lavoisier en Pierre-Simon Laplace bewijzen dat water uit de elementen waterstof en zuurstof bestaat.

1800
De Engelsen William Nicholson en Anthony Carlisle splitsen met behulp van elektriciteit water in waterstof en zuurstof.

1803
De Britse meteoroloog Luke Howard bedenkt namen voor soorten wolken, zoals cirrus en cumulus.

1805
De Fransman Joseph-Louis Gay-Lussac toont aan dat water uit twee delen waterstof en één deel zuurstof bestaat.

1829
De Schot James Simpson ontwikkelt met zandfilters een waterzuiveringssysteem.

1855
Vittel Grande Source in Frankrijk krijgt de eerste vergunning voor het bottelen van bronwater. Perrier volgt in 1863.

1854
De Engelse arts John Snow ontdekt dat een vergiftigde bron een cholera-epidemie veroorzaakt en bewijst dat die ziekte in water wordt verspreid.

1876
Alle Britse schepen moeten worden voorzien van een Plimsollmerk, dat aangeeft hoe zwaar een vaartuig maximaal kan worden beladen.

1872-1876
Wetenschappers op de *HMS Challenger* voeren de eerste onderzoeken in de diepte van de oceaan uit.

1912
Het Britse schip de *Titanic* botst in de noordelijke Atlantische Oceaan op een ijsberg. 1517 mensen komen om.

1882
Een waterrad in de rivier de Fox, in de staat Wisconsin in de VS, is de eerste commerciële waterkrachtcentrale.

1921
De Engelsman Joseph Swan vindt de elektrische ketel voor het koken van water uit.

1936
Voltooiing van de Hooverdam, de eerste betonnen boogdam ter wereld, op de grens van de staten Arizona en Nevada in de VS.

1944
Opening van de langste watertunnel ter wereld, van het Rondoutreservoir naar New York (169 km lang).

1951
Britse onderzoekers stellen vast dat de Marianentrog met 10.912 m het diepste punt in de oceaan is.

1956
Ontdekking van de grootste gletsjer ter wereld, op Antarctica. De Lambert-gletsjer is 700 km lang.

1958
De Amerikaanse kernonderzeeër *Nautilus* vaart onder het ijs van de Noordpool door en bewijst dat zich daar geen land bevindt.

1960
Onderzoekers dalen in de bathyscaaf Trieste af tot op de bodem van de Marianentrog.

1977
Amerikaanse onderzoekers ontdekken dat op de bodem van de Grote Oceaan geisers zich bevinden.

1978
De NASA lanceert de SEASAT, de eerste satelliet met instrumenten om de eigenschappen van de zee te meten.

1986
Opening van de grootste getijdendam ter wereld, de 9 km lange Oosterscheldedam in Nederland.

1994
Invoering van het Zeerechtverdrag, waarin vastligt hoe landen de oceanen mogen gebruiken.

1989
De olietanker *Exxon Valdez* loopt bij Alaska op een klif en lekt olie waarmee 125 zwembaden kunnen worden gevuld.

2005
Opening van de grootste ontziltingsinstallatie ter wereld, in Ashkelon, Israël.

2004
Op 26 december leidt een enorme tsunami in de Indische Oceaan tot de dood van bijna 230.000 mensen.

2006
Begin bouw van het eerste luxueuze hotel onder water, Hydropolis, voor de kust van Dubai.

2007
Lancering eerste satelliet die het zoutgehalte van het zeeoppervlak meet, door het Europese Ruimte Agentschap.

2009
Beoogde voltooiing van de Drie Klovendam in de Jangtsekiang in China, de grootste stuwdam ter wereld.

Woordenlijst

Afvalwater
Water dat gebruikt is in een huishouden, kantoor of bedrijf.

Aquifer
Met water verzadigd gesteente of aarde onder de grond waar putten hun water vandaan halen.

Artesische put
Bron die onder de grond water uit een aquifer krijgt. Het water komt omhoog zonder gepompt te hoeven worden.

Atmosfeer
De lagen gas om de aarde.

Atoom
Kleinste deeltje van chemisch element.

Broeikaseffect
Het vasthouden van infrarode straling van het aardoppervlak in de atmosfeer door broeikasgassen. Dit zorgt voor opwarming van de aarde.

Broeikasgas
Gas dat infrarode straling absorbeert en daardoor warmte in de atmosfeer vasthoudt. Kooldioxide, methaan en waterdamp zijn broeikasgassen.

Cel
Kleine eenheid waaruit planten en dieren zijn opgebouwd. In een cel zit de kern of nucleus, om de cel heen bevindt zich het celmembraan. De meeste planten en dieren bestaan uit miljoenen cellen.

Condensatie
Proces waarbij gas vloeistof wordt, zoals waterdamp dat tot druppels condenseert.

Convectie
Verticale circulatie van een vloeistof of gas als gevolg van het opstijgen van warme en het dalen van koude delen.

Corioliseffect
De invloed van de draaiing van de aarde op stromingen van de wind en het water. Door het corioliseffect draaien stromingen op het noordelijk halfrond met de klok mee en op het zuidelijk halfrond tegen de klok in.

Delta
Laagvlakte rond de monding van een rivier, ontstaan door sedimentafzetting.

Drijfvermogen
Opwaartse druk op een drijvend voorwerp, veroorzaakt door het water dat het wegduwt.

Droogte
Langdurige periode met weinig of geen regen.

Duisternis
Zone in de oceaan van meer dan 1000 m diep, waar geen zonlicht meer doordringt.

Element
Enkelvoudige eenheid die niet door gewone scheikundige reacties gesplitst kan worden.

Energie
Capaciteit om actie te ontwikkelen. Energie verdwijnt niet, maar verandert wel van vorm.

Erosie
Slijtage aan rots- en grondformaties door gletsjers, rivieren, wind en de zee.

Estuarium
Het gebied waar het water van een rivier de zee in stroomt.

Fossiele brandstof
Brandstof ontstaan uit de restanten van miljoenen jaren geleden levende organismen.

Fotosynthese
Proces waarbij planten en plantachtige micro-organismen zonlicht in voedsel omzetten.

Front
Voorste grens in een bewegende luchtmassa van koudere of armere lucht.

Fytoplankton
Plantachtige micro-organismen die in het water leven.

Geiser
Opening in de grond waardoor vulkanisch verwarmd water en stoom omhoog spuiten.

Getijde
Door de aantrekkingskracht van de maan en de zon veroorzaakte stijging en daling van de zeespiegel.

Gletsjer
Sneeuw- en ijsmassa, ontstaan door gedurige sneeuwval. Onder druk van het eigen gewicht glijdt de massa langzaam naar beneden.

Golven
Horizontale oneffenheden in het zeeoppervlak. De meeste golven ontstaan door de wind. De grootste golven, tsunami's, ontstaan door aardbevingen, vulkanen, landverschuivingen of meteorieten.

Grondwater
Ondergronds in de bodem liggend water. Grondwater bedient bronnen en putten.

Hard water
Zoet water dat veel opgelost kalk en magnesium bevat.

IJsschol
Grote dikke laag ijs op het land. Op Groenland en Antarctica liggen enorme ijsschollen.

IJstijd
Koude periode in de geschiedenis van de aarde, toen grote delen land schuil gingen onder sneeuw en ijs. De laatste ijstijd op aarde liep ongeveer 15.000 jaar geleden af.

Irrigatie
Systeem waarbij boerenland met behulp van kanalen of buizen van water wordt voorzien.

Klimaat
Weerpatroon over vele jaren in een specifiek gebied.

Koraalrif
Kalksteen dat in warm, ondiep zeewater door kleine koraaldiertjes wordt gemaakt.

Luchtmassa
Over vele kilometers in het laagste deel van de atmosfeer uitgestrekte eenheid met een redelijk gelijke temperatuur en luchtvochtigheid.

Meteoriet
Een rots uit het heelal die de aarde raakt.

Micro-organismen (microben)
Heel kleine organismen.

Mineraal
Stof in gesteenten die in water kan oplossen.

Moesson
Seizoensgebonden wind die over zuidelijk en oostelijk Azië waait. De

zomerse moesson voert veel regen aan van de vochtige lucht boven de Indische en Grote Oceaan.

Molecuul
Kleinste eenheid van een substantie met de eigenschappen van die substantie. Een molecuul bestaat uit twee of meer atomen die door een chemische verbinding bijeen worden gehouden.

Neerslag
Alle manieren waarop water uit de lucht op het land neerkomt. Regen, sneeuw, natte sneeuw, hagel, rijp en dauw zijn allemaal vormen van neerslag.

Nutriënten
Stoffen, zoals nitraat en fosfaat, die planten nodig hebben om te groeien.

Oceaanstroming
Belangrijke route van zeewater. Stromingen aan de oppervlakte worden meestal veroorzaakt door de wind en temperatuurverschillen in het water.

Oeverwal
Verhoging langs de benedenloop van een rivier, ontstaan door sedimentafzetting.

Oplossen
Het smelten en ogenschijnlijk laten verdwijnen van een vaste stof in een vloeistof.

Oppervlaktespanning
Aantrekkingskracht tussen watermoleculen aan het oppervlak van het water.

Opwarming van de aarde
Geleidelijke stijging van de gemiddelde temperatuur op aarde.

Organisme
Levende dingen.

Overstroming
Water dat gewoonlijk droog land overspoelt.

Plankton
Organismen die in zeeën, meren en langzaam stromende rivieren drijven en door de stromingen worden meegevoerd.

Riolering
Ondergronds buizenstelsel dat afvalwater van huizen, kantoren en fabrieken naar zuiveringsinstallaties vervoert.

Satelliet
Voorwerp dat om een planeet draait. Om de aarde draaien kunstmatige, op afstand bestuurde satellieten die het weer, het land en de zee bekijken.

Schemerzone
Deel van de oceaan, tussen de 200 en 1000 m diep. Er komt wel wat zonlicht, maar onvoldoende voor planten en micro-organismen voor fotosynthese.

Sediment
Fijn, van het land geërodeerd materiaal dat elders terechtkomt.

Stalactiet
Hangende, ijspegelachtige constructie van calciumcarbonaat in grotten.

Stalagmiet
Opstaande, kaarsachtige constructie van calciumcarbonaat in grotten.

Stomata
Openingen in de steel en bladeren van planten. Door de stomata ontsnapt waterdamp, andere gassen gaan ook door de stomata in en uit.

Synovia
Vloeistof die de gewrichten bij de mens smeert en slijtage aan de botten beperkt.

Tornado
Felle, draaiende tropische storm, met windsnelheden van meer dan 120 km per uur.

Transpiratie
Waterverlies door verdamping bij planten.

Tsunami
Grote, snel voortbewegende golf of serie golven op de oceaan. Een tsunami ontstaat door verstoring van het evenwicht, door een vulkaan, aardbeving of een grote massa die het wateroppervlak raakt.

Uiterwaarde
Vlak stuk grond om rivier waar bij een hoge waterstand overtollig water in kan stromen.

Verdamping
Proces waarbij vloeistof in gas overgaat.

Vervuiling
Uitstoot door mensen of factoren als warmte en geluid van hoeveelheden die de natuur schade kunnen toebrengen.

Verwering
Afbrokkeling van gesteente aan het aardoppervlak, door fysieke, chemische en biologische processen.

Vochtigheidsgraad
Hoeveelheid waterdamp in de lucht. Hoe meer waterdamp, hoe hoger de vochtigheidsgraad.

Waterkringloop
De voortdurende cyclus van het water tussen zee, lucht en land. In de kringloop draait het om verdamping, condensatie, neerslag en percolatie.

Waterstand
Niveau waaronder de bodem verzadigd is met grondwater.

Waterstofbrug
Aantrekkingskracht tussen waterstofmoleculen.

Waterverplaatsing
Watermassa die opzij wordt geduwd

door een drijvend, zinkend of liggend voorwerp.

Zacht water
Zoet water dat weinig opgeloste kalk en magnesium bevat.

Zee
Water in een oceaan. De zee is ook de aanduiding voor delen van de oceaan, zoals de Caribische Zee.

Zeeijs
IJs dat ontstaat als zeewater bevriest.

Zoet water
Water met een laag zoutgehalte. De definitie gaat uit van minder dan 0,1% opgeloste zouten.

Zonlichtzone
Deel van de oceaan vlak onder het oppervlak, tot 200 m diepte. Hier komt genoeg zonlicht voor de planten en micro-organismen voor fotosynthese.

Zoöplankton
Dieren en dierlijke micro-organismen die in de zee en in zoet water leven.

Zout
Stof die ontstaat uit een reactie tussen een zuur en een base of een zuur en een metaal. De bekendste zoutsoort is natriumchloride, ofwel keukenzout.

Zout water
Water met een hoge concentratie opgelost zout erin. De zee en sommige meren bevatten zout water.

Zure regen
Regen die door luchtvervuiling, en vooral door de verbranding van fossiele brandstoffen in huizen, energiecentrales en voertuigen, zuurder dan anders is.

Zwaartekracht
Trekkracht tussen grote massa's. Hoe zwaarder de massa, hoe groter de aantrekkingskracht.

Register

Verantwoording

De uitgever dankt de volgende personen en instellingen voor toestemming voor het gebruik van de foto's:

Afkortingen: b=boven, o=onder, m=midden, u=uiterst, l=links, r=rechts, gb=geheel boven.

2 John Shultis (www.johnshultis.com); 4 Alamy Images, ImageState (ml); Corbis, vrij van royalties (m); Getty Images, Ezio Geneletti (mr); Science Photo Library, Clive Freeman / Biosym Technologies (ol, om, or); 5 Getty Images, Richard H. Johnston (l); NASA, NASA (bl); 6 Getty Images, Sakis Papadopoulos (mr); NASA (br); Science Photo Library, Matthew Oldfield /Scubazoo (or); US Geological Survey, Game McGimsey (ml); 8 Photoshot / NHPA; Science Photo Library, David Nunuk (l), Peter Scoones (r); 9 Steve Bennett, (mro); Wikimedia Commons (mlo); 10 Corbis, Ralph A. Clevenger (ml); Getty Images, Joanna McCarthy (m); RGK Photography (or); 10-11 National Geographic Image Collection, Maria Stenzel (mo); 11 Corbis, Visuals Unlimited (br); Getty Images, Jeff Spielman (mlb), Jamie Squire (mr); National Geographic Image Collection, Maria Stenzel (bl); Science Photo Library, British Antarctic Survey (om); 12 Corbis, Theo Allofs / Zefa (bl); Science Photo Library, Jeremy Buirgess (ol), Eye of Science (mr); 13 Science Photo Library, Jeremy Burgess (m), Steve Gschmeissner (ol); 14 NASA, Jeff Schmaltz (ol), Science Photo Library, Juergen Berger (or), Steve Gschmeissner (br); 14-15 Alamy Images, Jane Burton (m); 15 SeaPics.com (mr, br); 16 Still Pictures, Arnold Newman (b); 16-17 OSF / photolibrary, Michael Fogden (o); 17 Science Photo Library, Nature's Images (bl), Ria Novosti (br), Bjorn Svensson (bm); 18 Corbis, Louise Gubb (m), Layne Kennedy (ml), Christophe Loviny (mr); Olivier Matthys / epa (ml); 19 Corbis, Yann Arthus Bertrand (m); NASA (mr), Sandy Stockwell (ml), Raimundo Valentim (ml); 20 Getty Images, Gary Bell (l); 22 Science Photo Library, Andrew J. Martinez (or); 23 Getty Images, John Bilderback (or), Martin Harvey (mr); Science Photo Library, Andrew J. Martinez (ol); 24 Alamy Images, David South (l); Corbis, David Muench (r); 25 Alamy Images, nagelestock.com (bl); Getty Images, Jerry Alexander (or), Kristian Maak (br); 27 Corbis, Jim Reed (m); NOAA (or); 29 Flagstafffotos, Peter Firus (m); http:// sl.wikipedia.org, moo@fp.chu.jp (ol);

Wikimedia Commons, pfctdayelise (or); 30 Corbis, Chinch Gryniewicz / Ecoscene (ol), Roy Morsch (bl); 31 Corbis, Frans Lanting (or); Marcel Dulude (mr; Saskia van Lijnschooten (br); 37 Science Photo Library, CNRI (mro), Susumu Nishinaga (mrb); 38 Corbis, Bettmann (ol); 38-39 US Department of Interior (www.usbr.gov); 39 Alamy Images, David Hoffman Photo Library (or), Doug Houghton (mr), Flickr / Ingrid Koehler, London Looks (br); 40-41 Getty Images, Hans Strand (m); 41 Getty Images, Alexander Stewart (bl), Penny Tweedie (ol); 42 Science Photo Library, NIAD / CDC (or); 42-43 Corbis, Anna Clopet; 43 Alamy Images, Dennis Pedersen (br); Corbis, Viviane Moos (or); Science Photo Library, Peter Menzel (mrb); 44 Corbis, David Forman / Eye Ubiquitous (bl), Steve Kaufman (m); 45 Corbis, Gina Glover (br); Science Photo Library, Simon Fraser (or); 46 Corbis, Eberhard Streichan / Zefa; 47 Corbis, Jeremy Horner (or), Eberhard Streichan / Zefa (bl); Science Photo Library, Robert Brook (ml), Pascal Goetgheluck (mr), Geoff Tompkinson (br); 48 Alamy Images, Kevin Lang (ol); Corbis, Lowell Georgia (or); 48-49 Corbis, EPA (b); 49 Getty Images, Norbert Rosing (ol), Mike Simons (or); 50 Corbis, Smiley N. Pool / Dallas Morning News (br); Getty Images, Martin Puddy (b); 51 Corbis, Michael Reynolds / epa (m); Getty Images, Martin Mawson (b); 52 Getty Images, Tom Bean (ml); http:// sl.wikipedia.org (or); 53 Corbis, Reuters (mr); Michael Donohoe / Flickr (ml); Science Photo Library, Mike Boyatt / Agstock (ol); 54 European Space Agency (br); 54-55 Juergen Matern (o); 55 Science Photo Library, Alexis Rosenfeld (bl); UNESCO, Tang Chhin (mr)

Omslagillustraties: voor: Alamy Images, Foodfolio (b); Saskia van Lijnschooten (o); achter: Pete Atkinson (www.peteatkinson. com) (ol); Corbis, Zefa (bl); Getty Images, Thierry Dosogne (mr); NASA (ml); Science Photo Library, Eye of Science (or).

Alle overige illustraties © Dorling Kindersley.